Gérer un surplus de travail

L'édition originale de cet ouvrage a été publiée en Grande-Bretagne par Prentice-Hall, Harlow, sous le titre *Fast Thinking: Work overload.*

ISBN : 2-84211-131-1

Gérer un surplus de travail

- Dégager du temps
- Rattraper le retard
- Fixer les priorités

Ros Jay

Sommaire

Introduction

Votre corbeille ressemble à la tour de Pise, vous ne trouvez plus votre téléphone sous la pile de listes de choses à faire et de post-it, votre patron veut vous voir dans cinq minutes, vous participez dans un quart d'heure à une réunion cruciale, et la réception vient d'appeler pour annoncer un visiteur à recevoir tout de suite.

Ça vous rappelle quelque chose? Si vous faites partie de ces millions d'individus débordés au point de n'avoir jamais une minute à eux, ce livre est fait pour vous. Ce ne sont pas les avis éclairés qui manquent (inapplicables pour la plupart) sur la manière de ne plus jamais avoir de travail en retard, mais vous avez dépassé ce stade. Vous avez du travail en retard maintenant, et la seule question à laquelle il vous faut répondre est « Comment vais-je m'en débarrasser ? »

Ce livre y répond. L'idéal serait de pouvoir libérer une journée pour reprendre la situation en main. Idéalement, vous disposeriez de plusieurs jours pour tout mettre en ordre et recommencer à zéro avec un bureau propre et net, mais vous êtes dans le monde réel, qui exige de penser vite et d'agir intelligemment. Il vous faut :

- **des conseils pour reprendre les choses en main rapidement**

- **des raccourcis pour éviter tout travail inutile**

- **des checklists pour être sûr que vous n'oubliez rien d'essentiel**

… le tout sous une forme claire et simple. Et assez court pour le lire vite. Eh bien c'est ce livre.

Si le temps presse vraiment, vous trouverez à la fin du livre une checklist de tout le processus à dérouler en une demi-journée – peut-être une soirée quand vous n'aurez plus personne sur le dos. Et si vous ne pouvez même pas trouver une demi-journée, il existe une version d'une heure pour fabriquer du temps à la vitesse de la vie.

Alors respirez un bon coup et cessez de paniquer. Tout ce que vous avez besoin de savoir est dans ce livre. Grâce à lui, votre vie professionnelle sera à nouveau gérable dans une heure seulement si vous n'avez pas plus de temps. Si vous avez encore plus de temps, c'est du bonus. Donc si vous avez une matinée entière, vous pouvez déjà commencer à vous sentir bien. Et si vous avez eu du mal à trouver le temps de lire cette introduction, la première section vous donnera quelques conseils pour trouver le temps de lire le reste du livre.

Vous avez du travail en retard, et la seule question à laquelle il vous faut répondre, c'est « Comment vais-je m'en débarrasser ? »

Travaillez à la vitesse de la vie

Ce livre va vous guider à travers les six étapes qui vont vous permettre de vous débarrasser de votre travail en retard :

1. Vous devez commencer par trouver du temps pour traiter le travail accumulé ; c'est donc ce que nous allons faire d'abord.
2. La deuxième étape consiste à bien voir quel est votre objectif ; c'est indispensable pour vous attaquer à vos travaux dans un ordre qui maximise l'efficacité et la productivité.
3. Après quoi nous verrons comment classer les centaines (peut-être les milliers) de tâches individuelles en quelques groupes principaux seulement.
4. L'étape suivante consiste à évaluer ces groupes à l'aune de votre objectif, pour fixer les priorités.
5. Nous en arrivons aux travaux eux-mêmes, et aux options applicables à chaque travail : le faire, le différer, le déléguer ou le jeter.
6. Enfin, nous examinerons la manière d'accomplir ces travaux dont vous vous chargez vous-même, pour qu'ils prennent le moins de temps possible.

Tout au long du livre, nous allons aussi identifier différents moyens d'empêcher que la même situation ne se reproduise plus tard. Le contenu du livre remédie ainsi aux retards existants tout en assurant la prévention des retards futurs.

Ce livre remédie aux retards actuels et prévient les retards futurs

Notre pari

À l'évidence, vous n'êtes pas censé vous trouver dans un tel embarras – mais il faut bien dire que la vie n'était pas non plus prévue pour être si dense. Et au point où vous en êtes, l'idéal serait que vous puissiez vous permettre de consacrer plusieurs jours entiers à la mise en ordre de ces monceaux de documents et de messages téléphoniques. Mais soyons réalistes. C'est déjà bien d'avoir trouvé le temps de lire ce livre et de commencer à l'appliquer.

Supposons que vous soyez transposé dans un monde où le travail ne se dilate pas pour excéder le temps disponible. Pourquoi devriez-vous perdre votre temps à vous débarrasser du travail en retard ? Parce qu'il le faut bien ! Placer une bombe sous votre bureau pour tout nettoyer d'un seul coup ne serait pas sans inconvénients…

Si vous n'avez pas de machine à voyager dans le temps, chaque heure n'a que 60 minutes, et chaque jour seulement 24 heures. Il y a sans nul doute sur votre bureau beaucoup de papiers sans intérêt, beaucoup d'affaires à propos desquelles il est trop tard pour agir ou qui devraient être repassées à d'autres. Mais il vous restera toujours des choses à faire par vous-même, et plus il y en a, plus cela vous prendra de temps de les faire bien.

- Forcément, plus on a de temps pour résorber son retard, plus on se sent capable de le faire bien. Les seules personnes qui adorent travailler sous la pression sont ces individus insupportables, tellement parfaits qu'il ne leur arrive pratiquement jamais de prendre du retard. Voulez-vous vraiment être comme eux ? (Eh bien, à vrai dire, oui… mais au fait, quand vous aurez rattrapé votre retard, vous serez comme eux.)
- Bien sûr, en suivant les directives du livre, vous aurez largement le temps de résorber votre surcharge de travail. Mais si vous le faites en vous sentant terriblement pressé par le temps, cela vous stressera, ce qui n'est pas bon pour votre tension artérielle.
- Quant à ces travaux qui requièrent vraiment votre attention, vous serez beaucoup moins frustré si vous arrivez à les faire facilement. Si les gens sont absents de leur bureau au moment où vous leur téléphonez, si vos fournisseurs ne peuvent pas vous fournir en moins de 48 heures les chiffres dont vous avez besoin ou si votre ordinateur portable plante – bref, toutes les petites irritations qui ponctuent l'existence –, vous réagirez mieux si vous avez du temps devant vous que si tout doit être bouclé d'ici demain après-midi.

Placer une bombe sous votre bureau pour tout faire disparaître d'un coup ne serait pas sans inconvénients

- **Certains travaux doivent être délégués. Mais il se peut que la personne à qui les confier ne soit pas joignable. Et même si elle est là, il peut être dur à avaler de se voir déléguer un travail urgent pratiquement sans préavis. Après tout, son retard est peut-être encore pire que le vôtre (voilà une pensée réconfortante).**

Par conséquent, bien que penser rapidement permette de faire un travail efficace, vous serez encore plus efficace en attribuant davantage de temps à ce même travail, et vous serez beaucoup moins frustré. Bien sûr, le but est de suivre les conseils donnés dans le livre pour éviter d'accumuler de nouveaux retards. Mais si la vie vous rattrape de nouveau, essayez au moins de vous donner plus de temps pour vous en occuper.

Forcément, plus on a de temps pour résorber son retard, plus on se sent capable de le faire bien

1 Dégagez du temps

Bon, vous avez six semaines de travail à faire dans les deux jours qui suivent, et maintenant vous avez acheté ce livre qui vous dit qu'il faut trouver encore du temps pour faire ce qu'il vous dit. Bravo, c'est vraiment le livre qu'il fallait !

Eh oui. Il semble inopportun de vous demander de trouver encore plus de temps. Mais au fond de vous-même, vous savez que ce travail ne va pas s'évaporer tout seul. Il n'y a pas d'autre solution que de prendre des mesures – et prendre des mesures demande du temps. Toutefois, pour vous prouver que je vais vraiment vous aider, je peux commencer par quelques suggestions pour dégager le temps dont vous avez besoin.

Le DG veut vous voir maintenant

Vous pourriez penser qu'il est impossible de dégager davantage de temps, mais je parie que vous pourriez le faire si une raison suffisamment valable se présentait. Pour combien des motifs suivants trouveriez-vous du temps en dépit de la pile de travail qui trône sur votre bureau ?

- **Le DG finit de réfléchir aux promotions et il veut passer une heure avec vous demain matin à son arrivée.**
- **Votre meilleur client appelle pour dire qu'il est certain de vouloir doubler sa dernière commande – mais qu'il a besoin de vous personnellement pour rencontrer son DG demain après-midi.**
- **Idem, et le client a son siège à l'autre bout de l'Europe.**

Il n'y a pas de doute que vous trouveriez du temps pour la plupart de ces situations (si ce n'est toutes). OK, faire le vide sur votre bureau n'est pas tout à fait aussi urgent ni aussi important, mais je veux seulement montrer que vous pouvez trouver du temps quand il le faut absolument. Il vous suffit de décider que vous y êtes obligé. Je me doute qu'ayant acheté ce livre, vous n'avez pas à être convaincu. Mais s'il vous faut des raisons, voici pourquoi il est important de dominer votre travail, au lieu d'être dominé par lui :

- **Si le travail s'accumule, il y a des chances pour que vous laissiez de côté des travaux importants jusqu'au moment où il est trop tard pour les faire bien.**
- **Être surchargé de travail est extrêmement stressant.**
- **Si vous n'arrivez pas à vous débarrasser des travaux de routine, vous n'aurez pas de temps pour le travail important et proactif.**

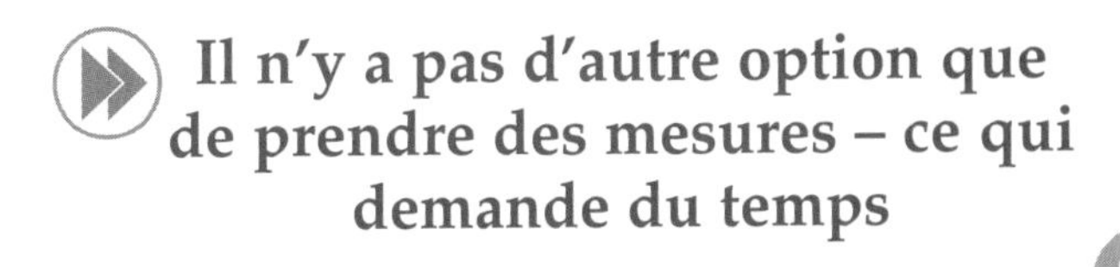

Dégager une journée entière

Dites-vous qu'une présentation cruciale à un client clé ou au conseil d'administration vient d'être prévue pour toute la journée de demain. Pouvez-vous vous en occuper? Excellent. Voici maintenant une bonne nouvelle. Elle vient juste d'être annulée. Et donc vous pouvez maintenant consacrer toute la journée qui vient d'être libérée à résorber votre travail en retard.

- **Les gens qui réussissent sont ceux qui font les choses. Ceux qui ont des piles de travail sur leur bureau ne les mènent pas à bien.**
- **Lorsqu'une chose importante se présente, vous ne pouvez lui accorder l'attention qu'elle mérite qu'au détriment d'autre chose.**

Libérez du temps

Vous savez qu'il vous faut mettre les choses au point, la seule question est : comment libérer le temps correspondant? Essayez de dégager un jour entier si vous le pouvez, et évitez les interruptions.

- **Décidez à l'avance du jour choisi pour mettre de l'ordre sur votre bureau, et écrivez-le sur votre agenda à l'encre indélébile. Ne permettez à rien d'autre de déplacer cet engagement. Traitez-le comme si cette rubrique de votre agenda était une réunion vitale, ou un voyage d'une journée pour revenir d'Australie.**
- **Assurez-vous l'aide d'assistants, de secrétaires ou de tout autre membre de votre équipe. Demandez-leur de confirmer que vous n'êtes disponible pour personne, de prendre en charge tous les appels téléphoniques et**

toutes les visites, de ne vous apporter aucun travail nouveau, et de ne pas vous déranger de toute la journée – pour cette fois seulement.

- Vous pouvez vous apercevoir qu'il est plus commode de travailler une partie de la journée ou la journée entière chez vous. Ou mieux encore, de travailler quelque part où personne n'a de numéro pour vous joindre, mais d'où vous pouvez quand même appeler si nécessaire. Peut-être pourriez-vous travailler chez des amis (en étant sûr qu'ils sont absents, de sorte qu'ils ne puissent vous déranger ni vous tenter par une invitation à déjeuner au restaurant).

- Les soirées et les week-ends sont loin d'être l'idéal, car il est impossible de déléguer à ces moments-là, ni de faire les travaux faisables seulement aux heures ouvrables. Mais vous pouvez toujours les utiliser pour la première partie du processus – la préparation – et arriver au bureau avec une pile de travaux à déléguer et une autre pile de travaux à faire vous-même (et auxquels il vous faudra encore allouer du temps). Cette approche réduit le temps passé au bureau pour résorber votre retard de travail, et peut de ce fait être une bonne option.

Pensez malin

L'oiseau du matin

Si vous ne pouvez absolument pas dégager autant de temps d'un seul coup, pourquoi ne pas commencer à travailler une heure plus tôt pendant une semaine ? Ceci vous procure cinq heures avant que les autres n'arrivent au bureau pour vous casser les pieds. Soyez strict envers vous-même et interdisez-vous, pendant ces cinq heures, de faire quoi que ce soit d'autre que de résorber votre travail en retard.

Les gens qui réussissent sont ceux qui font les choses

Vous êtes sur le point, désormais, de mettre de l'ordre dans votre charge de travail, et vous trouverez le temps parce qu'il le faut. Plus vous attendrez, pire ce sera (c'est ce que disait ma mère lorsque je devais ranger ma chambre, et en fait c'est la même chose !). Par suite les trois principales étapes sont :

- **Choisissez votre moment.**
- **Tenez-vous y.**
- **Éliminez les diversions et les interruptions.**

C'est aussi simple que cela.

Plus vous attendrez,
pire ce sera

22 Votre objectif

Vous ne vous y attendiez peut-être pas. Et même, vous vous demandez peut-être à quoi ça sert de se fixer des objectifs pour résorber sa charge de travail. En fait, c'est un point central pour toute l'opération. Je ne parle pas de l'objectif visé par le processus lui-même – dont nous savons qu'il est de vous attaquer à cette montagne de travail sur votre bureau, dans votre ordinateur, dans vos messages téléphoniques, et dans votre liste mentale. Je me place à un point de vue plus élevé. Votre objectif personnel. Pourquoi êtes-vous ici ?

Vous n'avez peut-être que quelques heures pour résorber votre travail en retard, mais vous devez quand même consacrer quelques minutes à ce point fondamental. Il est facile d'oublier, au fil des réunions hebdomadaires, des budgets, des demandes d'information, des factures à approuver et de tout le reste, que votre fonction essentielle est autre chose : augmenter les ventes, élever le niveau de satisfaction des clients, développer les relations publiques, améliorer la productivité ou faire quoi que ce soit pour quoi la société vous paie.

Pensez vite

Prendre le temps de dégager du temps

Identifier votre objectif ne doit pas prendre beaucoup de temps – cinq minutes au plus et probablement moins. Mais tout le processus de résorption de la surcharge de travail sera beaucoup plus rapide si vous accordez à cette réflexion préalable le temps qu'elle mérite.

Bien sûr toutes les autres choses sont importantes, et je ne vous suggère pas de les oublier. Mais si vous n'atteignez pas votre objectif central, tout le reste ne vaut rien. Définissez donc un objectif clair. En voici quelques exemples :

- **ventes : augmenter les bénéfices;**
- **comptabilité : mettre en place des systèmes de facturation et de règlement fournisseurs parfaitement exacts, donnant des informations utiles;**
- **production : augmenter la productivité;**
- **relations publiques : augmenter le niveau de reconnaissance du public;**
- **distribution : assurer une distribution rapide, de grande qualité, au moindre coût;**
- **marketing : renforcer la loyauté des clients et attirer de nouveaux clients.**

Si vous ne définissez pas votre objectif principal, tout le reste ne vaut rien

Il se peut que vous travailliez dans l'un de ces domaines et que vous pensiez que votre rôle principal est légèrement différent – pas de problème.

Pensez malin

Que laisserez-vous derrière vous ?

Si votre objectif n'est pas parfaitement clair, posez-vous cette question : quand vous quitterez ce travail, quel aspect unique de la performance de la société espérez-vous avoir amélioré ? La satisfaction des clients ? Le chiffre des ventes ? La productivité ? Les coûts ? La reconnaissance de la société ? La réponse à cette question vous dira quel est votre objectif.

Ce ne sont que des exemples. En tant que responsable marketing, vous pouvez être employé avant tout pour attirer de nouveaux clients, tandis que votre équipe de vente est chargée de développer la loyauté des clients.

Si vous n'avez aucune idée de ce qu'est votre objectif, quelque chose ne va pas dans votre entreprise et je soupçonne que vous n'êtes pas le seul à avoir une surcharge de travail. Votre description de poste devrait être explicite, ou à défaut votre patron devrait pouvoir vous fournir une réponse nette et claire sur ce point.

Il faut que votre objectif soit clair, c'est indispensable pour fixer des priorités dans votre travail, comme nous le verrons plus tard. À l'évidence, un travail qui vous aide directement à atteindre votre objectif est plus important que les autres montagnes de travail qui n'y contribuent pas. Et vous ne pourrez pas identifier les travaux à placer dans cette catégorie si vous ne connaissez pas votre objectif. Par conséquent, si pressé que vous soyez par le temps, il s'agit d'une étape essentielle.

La prochaine fois

Une fois la surcharge résorbée, votre objectif reste important pour vous aider à fixer vos priorités. Une façon astucieuse de travailler consiste à réserver chaque semaine sur votre agenda du temps directement alloué à la réalisation de votre objectif. Visez deux demi-journées par semaine, pendant lesquelles vous ne ferez que des travaux orientés vers votre objectif. Prévoyez aussi du temps pour avoir de nouvelles idées.

Seuls ceux qui parviennent à s'organiser ainsi réussissent vraiment dans leur travail. Ils ne se contentent pas seulement de faire avancer les choses ; ils interviennent activement pour qu'elles se produisent. Ils sont remarqués par le top management et grimpent vite dans la hiérarchie. Si donc vous n'êtes pas encore l'un d'eux, c'est le moment de vous y mettre.

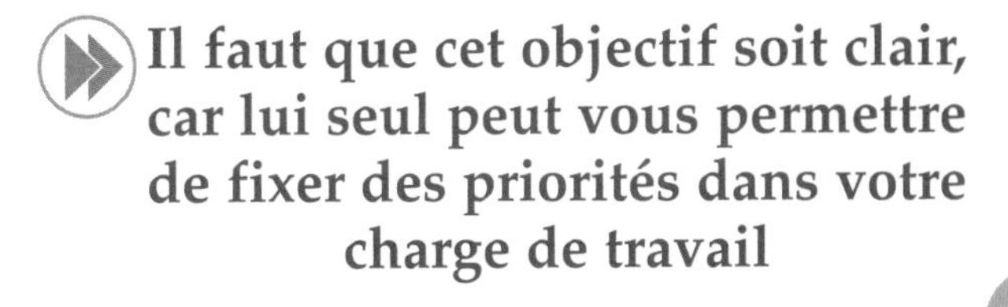

Il faut que cet objectif soit clair, car lui seul peut vous permettre de fixer des priorités dans votre charge de travail

3 L'organisation des travaux

Je sais, votre seule envie est de vous mettre à faire le travail, et non de passer du temps à le planifier d'abord. Mais croyez-moi, vous y trouverez votre compte à terme. Non seulement vous viendrez à bout de votre pile de travail plus rapidement, mais le travail sera mieux fait. Promis.

Voici les deux raisons d'être de cette étape :

- **D'un point de vue psychologique, une bonne partie du problème que pose une surcharge de travail est que vous percevez une immense nébuleuse de travaux – certains sous forme de papiers, d'autres dans votre ordinateur ou vos messages vocaux, d'autres tourbillonnant dans votre tête – de sorte que vous ne savez pas par où vous y prendre. Mais après avoir mis de l'ordre, vous en prenez le contrôle, et vous avez réduit ce magma sous une forme que votre esprit peut appréhender. Dès lors, la gestion de tout cela paraît plus facile, ce qui tout d'un coup vous remonte le moral.**
- **Ayant classé le travail dans un ordre logique, vous pourrez vous en acquitter plus efficacement. Une approche erratique vous fera perdre le fil, et les possibilités d'économie d'effort vous échapperont. Par exemple, le classement peut vous montrer qu'un document de travail est postérieur à un autre qui de ce fait devient inutile. Mais**

si jamais vous vous occupez du document inutile en premier, vous risquez de constater que vous avez perdu votre temps. C'est pourquoi l'organisation du travail permet d'accélérer les choses par la suite.

Mais de quelle façon allez-vous organiser le tout? Commencez par tout poser sur papier – oui, sur papier; oubliez les écrans d'ordinateur, parce qu'il vous faut déplacer les choses physiquement. Mettez par écrit les travaux qui n'existent actuellement que dans votre tête. Inscrivez chacun d'eux sur une feuille différente, parce qu'ils pourront se retrouver dans des tas différents. Imprimez les notes, les e-mails et tout ce qui nécessite de faire quelque chose. Vous aurez aussi besoin de mettre par écrit tous les engagements importants de votre agenda pour les quelques jours suivants, et tout spécialement ceux qui posent problème.

Pensez malin

Faites de la place

Dégagez un espace physique important pour cette partie du processus. Si votre travail se présente visuellement sous une forme organisée, il sera mieux organisé dans votre tête. Si vous travaillez avec une masse de papiers et de dossiers sur votre bureau, vous continuerez de vous sentir mentalement désorganisé. Trouvez donc une table vide, ou même utilisez le sol, pour y poser vos piles de papiers.

L'organisation du travail accélère les choses par la suite

Classement par groupes

Vous devez maintenant vous mettre à trier vos piles de papier. Ne vous inquiétez pas – ce ne sera pas long. C'est à ce stade que vous pouvez commencer à vous relaxer, parce que vous tenez le bon bout : vous créez de l'ordre à partir du chaos. Mais en quoi consistent ces piles de papiers ? Eh bien, cela dépend de votre travail. Vous devez créer une pile pour chaque travail important. Vous vous apercevrez probablement qu'au moins une partie des papiers est déjà triée – vous pouvez avoir déjà la moitié d'une pile de papiers portant sur la présentation de la semaine prochaine sur laquelle vous n'avez pas encore commencé à travailler, et un dossier gonflé d'informations sur le budget que vous êtes censé avoir établi.

Votre classement doit se faire selon ces sortes de catégories. Créez une pile pour chaque projet ou travail important :

- **une pile de demandes d'emploi, de descriptions de postes, etc., pour un poste que vous essayez de pourvoir;**
- **une liasse de papiers et de post-it pour l'exposition du mois prochain;**
- **une pile de lettres à signer;**
- **un dossier d'informations pour un rapport en cours de rédaction;**
- **une collection d'appels téléphoniques à passer;**
- **tout ce qui est à classer;**
- **une pile de documents à lire.**

… et ainsi de suite. C'est à vous de décider en quoi consistent au juste ces différents groupes, mais la liste ci-dessus vous donne l'idée générale de ce classement.

Classez ce qui reste

Vous avez peut-être songé que vous aurez des éléments qui ne peuvent pas rentrer dans un groupe – ce sont des travaux isolés ou apparentés qui ne forment pas vraiment un groupe. Ou encore, bien sûr, des choses sans intérêt : des chiffres périmés, des e-mails dont le contenu a été invalidé, et des demandes de rappel de collègues qui ont quitté la société il y a plus d'un an (mais je suis sûre que votre retard ne remonte pas aussi loin!). De sorte que vous encore avez besoin de deux piles supplémentaires :

1. *Divers* : c'est ici que vous placez tout ce qui ne peut aller ailleurs. Toutefois, cela devient en

Pensez vite

Plus au lieu de moins

À ce stade, vous devez, s'il y a un doute, prévoir trop de groupes plutôt que pas assez. Peut-être passez-vous en ce moment des annonces pour deux postes. Tout ce qui concerne ces deux points doit-il aller dans une pile ou bien deux? Si vous êtes sûr de vous, faites comme bon vous semble. Mais dans le doute, commencez par faire deux piles. Ne perdez pas de temps à vous poser des questions. (Vous pourrez toujours les combiner plus tard si vous changez d'avis.)

Le classement en groupes crée de l'ordre à partir du chaos

pratique la pile de tout ce qui n'a pas été classé convenablement, ce qui n'est pas vraiment une bonne chose.

Vous devez donc vous efforcer de réduire ce tas au minimum. S'il commence à augmenter, il peut éventuellement servir à créer de nouveaux groupes. Supposez qu'il y ait dans cette pile une note rappelant que vous devez vous occuper d'un membre de votre équipe qui ne respecte pas les horaires, un e-mail d'un collègue vous demandant de fournir trois personnes pour s'occuper du salon de la semaine prochaine, et une demande d'un membre de votre équipe qui souhaite déménager dans un bureau plus loin de la machine à café pour être moins dérangé. Ces cas peuvent servir de point de départ d'un groupe dédié aux questions de personnel.

2. *À jeter* : n'hésitez pas à jeter tout ce que vous pouvez. Ne perdez cependant pas de vue qu'il peut y avoir plus tard une autre occasion de jeter des choses, et donc ne mettez pas une éternité à hésiter sur ce point. Si vous êtes sûr que vous pouvez jeter – parfait. Mais ne gaspillez pas votre temps à y réfléchir. Pour la minute, il s'agit de classer vos tas assez rapidement.

À la fin de cet exercice vous devriez avoir, en plus de vos piles « divers » et à jeter, une demi-douzaine à une douzaine de tas importants, et quelques tas plus petits. Vous aurez passé probablement environ une demi-heure pour en arriver à ce stade. Et vous devriez déjà commencer à vous sentir beaucoup mieux.

Pensez malin

Accumulation positive

Vous pouvez mettre tout de suite à la corbeille ce qui est à jeter. Mais s'il y en a beaucoup, vous pouvez trouver très encourageant de conserver la pile pour voir à quel rythme vous progressez. C'est le genre de motivation positive qui peut rendre l'opération plus satisfaisante. Et qui, en fin de compte, peut vous aider à en finir plus rapidement.

Conservez les notes

Si jamais vous deviez vous retrouver de nouveau avec un retard de travail important (comme si c'était possible !), ce serait bien de ne pas être envahi de post-it et de bouts de papier. La solution consiste à garder sur soi un petit carnet et d'y inscrire toutes ses notes. Ces notes doivent inclure toutes les idées qui vous trottent dans votre tête –

Pensez malin

Ne supposez pas que tous les autres sont aussi bien organisés que vous. Si quelqu'un dit qu'il va vous rappeler, prenez-en note, pour que s'il vous laisse tomber vous puissiez reprendre le fil. Autrement, l'affaire peut vous sortir de l'esprit jusque, par exemple, deux minutes avant la réunion pour laquelle vous aviez besoin de l'information qu'il devait vous donner. Même chose pour les fournisseurs qui devaient vous rappeler pour vous donner des propositions de prix ou autres. Chaque semaine, en parcourant votre dossier « Divers », vous pourrez faire corriger ces dérapages.

Vous avez probablement passé environ une demi-heure pour arriver à ce stade

couchez-les plutôt sur le papier. Et si les autres vous donnent des post-it, collez-les sur votre carnet.

Tant que vous n'oubliez pas ce carnet dans le train, tout se trouve à une seule et même place. Et comme un carnet est éminemment portable, vous l'avez tout le temps sur vous, et vous pouvez tirer parti de toute période de cinq minutes en dehors du bureau pour faire avancer certains points.

La prochaine fois

Il est plus efficace de travailler sur un projet à la fois, plutôt que de sauter d'une chose à l'autre et vice-versa. C'est pourquoi il est préférable d'avoir d'emblée un dossier pour chaque projet ou groupe logique de travaux. Chaque e-mail, post-it ou feuille volante va dès le début dans le bon dossier. Vous pouvez avoir un dossier « Divers », mais allouez-vous un certain temps chaque semaine pour en faire le tri. Pourquoi pas tous les vendredis à 16 heures 30, pour rentrer chez vous en laissant ce dossier vide ? Cela ne devrait pas être bien long.

Pensez vite – la pause

Faites une pause

Pause, les choses avancent.

Dans votre carnet, notez toutes les idées qui vous trottent dans votre tête

4 Fixez les priorités

Non, désolé, ce n'est pas encore le moment de vous attaquer aux travaux. D'abord, vous devez savoir desquels vous allez vous occuper. C'est une course contre la montre, et vous ne pouvez pas tout faire instantanément. Certains devront être remis à plus tard. Il est donc indispensable de prendre les dossiers dans le bon ordre, les plus importants recevant le temps qu'ils méritent, ceux qui n'ont pas d'urgence passant en dernier. Deux paramètres de priorité sont à considérer :

- **l'importance ;**
- **l'urgence.**

Importance

C'est ici que votre objectif rend vraiment service. Prenez simplement chaque groupe l'un après l'autre et rapprochez-le de votre véritable objectif – augmenter les bénéfices, la satisfaction des clients ou quoi que ce soit d'autre. Ce travail vous aidera-t-il à atteindre votre objectif ? Notez chaque groupe de travaux A, B ou C, A voulant dire que le travail est en plein dans votre objectif, et C qu'il n'a pas grand-chose à voir avec lui.

Supposez que vous êtes responsable de la comptabilité : il y a trois groupes de travaux à comparer à votre objectif – assurer l'exactitude et l'utilité des systèmes de facturation et de règlement. Vous pouvez voir quels travaux contribuent ou non à cet objectif.

Attention : ne vous occupez pas de l'urgence à ce stade – ce sera pour plus tard. Nous déterminons seulement l'importance. La présentation, par exemple, peut ne pas avoir besoin d'être préparée pendant une bonne quinzaine, mais le moment venu elle sera cruciale.

Groupe de travaux	Objectif	Importance pour l'objectif
Préparer une présentation pour persuader la Direction d'investir dans un nouveau logiciel de facturation	Assurer l'exactitude et l'utilité des applications de facturation et de règlement	A
Projet de déménagement dans un bureau plus grand	Assurer l'exactitude et l'utilité des applications de facturation et de règlement	C
Projet de sélection d'un nouveau responsable des comptes	Assurer l'exactitude et l'utilité des applications de facturation et de règlement	B

Distinguez les travaux urgents et les travaux importants

Quelques personnes ont des fonctions comportant plusieurs objectifs. C'est moins courant que vous ne pensez, la définition d'un objectif étant assez large et se recouvrant en général étroitement avec celle du service. Ne soyez pas tenté de voir plusieurs objectifs dans des éléments d'un même objectif global. Mais il se peut que vos fonctions recouvrent deux services distincts. Peut-être travaillez-vous à la fois pour les ventes et le marketing.

Si c'est le cas, tout travail vital à l'égard de l'un ou l'autre objectif est un travail de niveau A. Vous pouvez alors fixer les priorités de la même façon que si vous n'aviez qu'un objectif.

Vous devriez commencer à voir la manière dont vous avez gagné du temps en affectant tous ces papiers à des groupes. Au lieu d'avoir à établir l'importance de centaines de travaux, vous n'avez affaire qu'à environ une douzaine de catégories. Tous les travaux d'une catégorie ont le même niveau d'importance.

Pensez malin

Et si… ?

Si vous avez du mal à établir l'importance d'un groupe de travaux, essayez de vous demander ce qui se passerait si vous vous en dispensiez. Quel serait l'effet sur l'entreprise ? Si la conséquence était une baisse des profits, des coûts plus élevés ou une mauvaise image, par exemple, donnez-lui le niveau A. S'il n'y aurait que peu de différence à long terme, le niveau est C.

Urgence

Les travaux urgents sont évidemment ceux qu'il faut faire au plus vite. Lors de la fixation des priorités vous devez distinguer entre l'urgence et l'importance, sinon vous ne saurez plus où vous en êtes. Certains travaux ne méritent qu'un C eu égard à votre objectif, mais vous devez vous en occuper, et vite.

L'identification des groupes de travaux urgents est donc un problème d'une autre nature. Les dispositions à prendre pour déménager dans un bureau plus grand, par exemple, peuvent être urgentes, bien qu'elles n'aient obtenu qu'un C. Ces groupes urgents seront incorporés dans l'ensemble des priorités comme nous allons le voir dans un instant. Cependant, il ne faut pas leur allouer trop de temps (à moins qu'ils ne soient en plus importants). Ce sont des travaux à évacuer en premier, sans plus.

Que faire si vous avez sur votre liste des travaux que vous ne considérez pas comme urgents, mais qui le sont pour quelqu'un d'autre ? Par exemple, l'un de vos collègues ne peut pas régler les derniers détails d'une annonce de produit à la presse tant que vous n'en avez pas fixé la date. C'est pour dans quelques semaines et vous n'êtes pas pressé, mais votre collègue s'impatiente.

Déterminez l'urgence indépendamment de l'importance

Si le travail prend très peu de temps, il vaut probablement mieux le lister comme urgent et faire plaisir à tout le monde. Mais il peut s'agir d'un long travail. Que faire ? Dans un tel cas, soyez objectif. La position de votre collègue est-elle justifiée ? Quelle est l'importance de cette annonce à la presse ? Doit-on vraiment connaître si tôt la date précise ?

Décidez si le travail lui-même est urgent, et non s'il est urgent pour vous ou pour quelqu'un d'autre.

Vos priorités

Vous devriez maintenant pouvoir classer tous vos groupes de travaux par ordre de priorité. Les premiers sont ceux qui sont vraiment urgents, même s'ils ne sont pas si importants. (S'ils sont à la fois urgents et importants, ils viennent alors bien sûr tout en haut de la liste.) Puis viennent les autres travaux, par ordre d'importance :

1. urgent et important ;
2. urgent ;
3. important (A) ;
4. important (B) ;
5. important (C).

Même les travaux les moins importants finiront par être traités à temps, parce qu'ils finiront par devenir urgents et donc sauteront en haut de la liste – si vous n'avez pas pu les faire avant (et si les poules ont des dents).

Pensez malin

Un mot d'avertissement

Il est très tentant de faire passer les travaux qui vous plaisent en haut de votre liste, et de mettre en bas ceux que vous ne voulez pas faire. Ne le faites pas. Soyez impitoyablement objectif en matière de priorité, sinon vous vous retrouverez dans le même embarras qu'au début avant d'avoir compris ce qui se passe – avec des travaux sans importance qui sont faits, et sur votre bureau une pile de travaux urgents et importants qui auraient dû être terminés depuis longtemps. Il vous faudra tout faire tôt ou tard ; prenez votre mal en patience.

Je présume que vous avez décidé de lire ce livre parce que vous avez un immense tas de choses à faire et que vous voulez vous débarrasser de votre retard pour repartir du bon pied avec un bureau entièrement dégagé. Ce livre avait l'air de suggérer que vous pourriez faire ces myriades de travaux en l'espace d'une heure si vous saviez vous y prendre.

Mais en fait – comme cela doit maintenant vous apparaître – vous n'avez pas à les faire tous dès maintenant. Vous avez simplement à en faire quelques-uns maintenant, et soit sous-traiter soit différer le reste. L'exercice consiste en fait à décider quels travaux faire maintenant et comment traiter le reste dans un délai raisonnable. Quel soulagement !

L'exercice consiste à définir les travaux à faire maintenant et la façon de traiter les autres plus tard

Pensez vite

Codes de couleur

Pourquoi ne pas utiliser pour vos dossiers des couleurs représentant l'importance des travaux ? Elles vous rappelleraient en permanence quelles sont réellement vos priorités, et vous feraient gagner beaucoup de temps.

La prochaine fois

Une façon d'empêcher les surcharges de travail ultérieures consiste à établir les priorités au fur et à mesure. À chaque fois qu'un nouveau projet se présente, ou que vous ouvrez un nouveau dossier, attribuez-lui un niveau d'importance – A, B ou C – au regard de votre objectif.

Chaque semaine, de préférence le lundi matin, fixez les priorités de vos dossiers en cours pour la semaine. Non seulement cela vous rappellera quels sont les travaux importants sur lesquels vous devez vous focaliser – peut-être la présentation est-elle votre préoccupation principale de cette semaine – mais en outre cette approche va remettre en selle les travaux de moindre importance qui deviennent urgents.

Quand vous prévoyez du temps pour des travaux urgents sans importance, ne leur accordez que le temps indispensable. Ce sont des travaux sur lesquels vous ne devez pas vous attarder – ils doivent céder la place aux travaux importants le plus vite possible.

Chaque semaine, de préférence le lundi matin, fixez les priorités de tous vos dossiers en cours pour la semaine

5 Les options

Vous savez maintenant dans quel ordre prendre les groupes de travaux, et il est temps de passer à l'exécution. Enfin, presque. Vous devez d'abord regarder les dossiers de chaque tas et les classer en quatre catégories. Le but est d'identifier les travaux que vous devez absolument faire maintenant, et trouver une autre manière de traiter tous les autres. Ce faisant, vous commencez vraiment à réduire votre charge de travail immédiate au point qu'elle devienne gérable. Même si vous manquez de temps, le temps que vous y passez est utilisé à bon escient.

Vous disposez de quatre possibilités :

- **jeter ;**
- **déléguer ;**
- **reporter ;**
- **faire.**

Quelle option choisir ?

En examinant chaque groupe, vous pouvez tout classer dans l'une de ces catégories. Nous verrons la délégation et le report en détail plus loin dans ce chapitre, et dans le chapitre suivant l'exécution des travaux que vous ne pouvez pas raisonnablement déléguer.

Jeter. Vous avez déjà pratiqué une session rapide de mise au rebut, mais maintenant il s'agit d'être brutal. Regardez, vous avez cette énorme surcharge de travail, et vous ne pouvez pas vous permettre de faire des choses qui ne sont pas indispensables, ni même de trouver de la place pour elles sur votre bureau. Par conséquent, dans le doute, vous jetez. Supposons que vous jetiez cinquante choses, dont dix au sujet desquelles vous n'avez pas de certitude. Quelles sont les chances que vous le regrettiez ? Peut-être que l'une de ces dix choses rebondira – et alors ? Vous pouvez toujours demander un autre exemplaire d'une facture, ou rechercher un numéro de téléphone dont vous pensiez ne plus avoir besoin. Mieux vaut tout jeter maintenant et en supporter les conséquences éventuelles et mineures plus tard.

Déléguer. C'est un art difficile (ne vous inquiétez pas, vous apprendrez à le pratiquer d'ici la fin du chapitre). Pour l'instant, vous devez simplement savoir quels travaux déléguer – nous verrons plus tard comment. Et la réponse est très simple – faut-il que ce soit vous qui fassiez le travail ? Si ce n'est pas le cas, repassez-le à quelqu'un d'autre, qu'il soit urgent ou non. Il n'y a qu'une réserve : certains travaux prendront plus de temps à expliquer

Repérez les travaux qui doivent absolument être faits maintenant, et trouvez d'autres moyens pour traiter tous les autres

Gardez ça pour plus tard

Ne soyez pas tenté de vous attaquer aux tâches importantes maintenant, simplement parce qu'elles sont importantes. Si elles ne sont pas urgentes, leur exécution peut toujours être remise à plus tard. Cela vous permettra d'y consacrer plus de temps.

qu'à faire vous-même. Comme nous le verrons, ce point n'intervient généralement pas si vous déléguez à bon escient, mais lorsque vous voulez débarrasser votre bureau à toute allure, quelques travaux de courte durée seront mieux placés dans la pile « à faire » que dans la pile « à déléguer ».

Différer. Ici encore, nous verrons plus tard la manière de traiter ces travaux. Pour l'essentiel, si un travail doit être fait par vous mais n'est pas urgent, vous pouvez le faire plus tard. C'est assez évident. Disons seulement que cela n'a pas de sens de différer dix jours de travail à faire d'ici la fin de la semaine prochaine, en les ajoutant à la charge de travail déjà prévue pour la semaine prochaine, car vous seriez de nouveau confronté au même problème vendredi prochain.

Faire. Tout ce qui ne peut être jeté, délégué ou différé devra être fait. Cependant, en arrivant à la fin de votre tri, vous devriez pousser un soupir de soulagement en constatant la faible hauteur de la pile « à faire », comparée à la montagne dont vous êtes parti une heure plus tôt.

Planifiez l'utilisation de votre temps

Vous devrez faire un tri rapide de tous vos groupes – à l'exception de ceux qui ne sont pas du tout prioritaires – avant d'aller plus loin. En théorie, vous pourriez penser vous occuper de chaque groupe quand il arrive à son tour. Mais vous aurez beaucoup de mal à planifier votre temps si vous procédez ainsi. Supposez qu'il vous reste quatre heures pour résorber votre retard. Combien de temps allez-vous passer sur le premier groupe ? Est-ce que cela ne dépend pas largement des autres choses que vous devrez caser dans ce temps ? Et ceci dépend du nombre de travaux des autres groupes à faire aujourd'hui. L'allocation convenable du temps suppose donc un examen rapide de vos principaux groupes.

Après avoir passé en revue les groupes, et évalué lesquels exigeront le plus de travail, planifiez l'utilisation de votre temps avant de commencer. Tenez compte à la fois du temps de travail estimé pour le groupe et de son importance. Travaillez sur les groupes dans l'ordre de priorité que vous avez fixé. De cette manière, si quelque anomalie terrible survient et réduit le temps disponible, au moins les travaux les plus cruciaux auront été faits.

Chaque travail peut être éliminé, délégué, différé ou fait

II Pensez malin

Laissez-lui du temps

Au cours de ce processus, plus vite vous reconnaîtrez les travaux qui peuvent être délégués, plus vite vous pourrez les faire démarrer. Cela ne sert à rien de donner à quelqu'un à 16 heures 30 un tas de travaux à terminer à 17 heures 30. Il vaut mieux les lui passer aussitôt après le déjeuner. Et si vous ne découvrez pas ces travaux avant 20 heures 30, il sera presque impossible de les déléguer pour qu'ils soient faits le lendemain matin. En fin de compte, vous les ferez vous-même. Vous devez donc identifier de bonne heure ces travaux urgents à déléguer et les mettre dans le circuit.

Voici quelques directives pour établir votre programme après avoir tout trié selon les quatre catégories :

1. Commencez par déléguer tous les travaux urgents qui peuvent l'être (selon les principes de la délégation que nous allons voir dans un instant).
2. Distinguez les travaux que vous pourrez déléguer plus tard quand les malheureux auront encaissé le choc causé par la pile de travail que vous venez de leur remettre.
3. Programmez ensuite vos travaux les plus urgents, mais, à moins qu'ils ne soient importants, ne leur affectez pas trop de temps.
4. Vous pouvez vous apercevoir qu'un ou deux travaux urgents dans un groupe doivent passer avant le reste des groupes. Faites-les passer avant – il est évident que les travaux urgents

doivent être traités d'abord – mais sinon traitez les groupes entiers l'un après l'autre. Peut-être que la pile relative à la présentation de vendredi peut attendre, mais vous devez téléphoner à votre fournisseur d'urgence pour parler des prix et lui laisser le temps d'établir ses coûts et de vous rappeler ensuite.

5. Examinez le nombre de groupes à traiter, et le temps disponible, et planifiez en tenant compte du temps moyen disponible pour chaque groupe. Ainsi, si vous avez quatre heures et huit groupes, vous devez en moyenne affecter une demi-heure à chaque groupe.

6. Vous pouvez maintenant faire quelques rééquilibrages rapides. Supposons que vous ayez besoin de plus de temps pour travailler sur le salon de la semaine prochaine – passez une heure dessus, et consacrez 15 minutes de moins à deux groupes moins importants en échange. Continuez ces ajustements jusqu'à ce qu'ils vous satisfassent. Ils doivent aller vite, je doute que vous ayez envie d'y consacrer tout l'après-midi.

7. Quel que soit le programme que vous avez fixé, respectez-le. Si vous prenez de l'avance, c'est bien. Mais ne vous laissez pas aller à prendre du retard. Regardez régulièrement la pendule pour vous assurer que vous êtes dans les temps.

Planifier vous évite d'arriver à la fin du temps disponible avant d'être au bout de votre charge de travail

Pensez malin

Un investissement, pas un gaspillage

Faire des plannings peut ne pas sembler une utilisation astucieuse du temps. Cela vous démange sans doute d'attaquer dès maintenant ces piles de travaux. Mais c'est la seule manière d'éviter d'arriver à la fin du temps disponible avant de venir à bout de la charge de travail. L'une des premières choses que nous faisons lorsque nous nous précipitons est de nous arrêter de penser. Mais en pensant *malin* – en fixant un objectif, en établissant un programme et ainsi de suite – nous investissons quelques minutes maintenant pour gagner énormément de temps plus tard. Croyez-moi.

Programmer l'utilisation du temps peut sembler un travail immense, mais en fait ce n'est rien. Cette opération doit prendre cinq minutes au plus, et vous donner une ligne de conduite pour le reste de la journée (ou de la soirée ou de toute période dont vous disposez).

La prochaine fois

Apprenez à reconnaître les travaux, les e-mails et les post-it qui finiront par être jetés, et ne commencez pas par les garder. Supprimez les messages e-mail après les avoir ouverts chaque fois que c'est possible – sans les imprimer. Rassurez-vous en vous disant que vous pouvez toujours les retrouver en cas de réel besoin. Ne les envoyez simplement pas à la corbeille. Si vous avez une note comportant un numéro de téléphone, jetez-la ou inscrivez-la dans votre liste de numéros de téléphones, mais ne la laissez pas traîner sur votre bureau.

De même, déléguez ce que vous pouvez même si vous ne pensez pas être surchargé. Il y a toujours des choses plus importantes pour lesquelles il est bon de dégager du temps – planifier, développer des idées, etc. Plus vous vous y prenez tôt pour déléguer un travail, plus il y a de chances pour qu'il soit bien fait.

Quel que soit le programme établi, respectez-le

6 Déléguez

S'il y a du personnel à qui vous pouvez déléguer des travaux et si vous avez une surcharge de travail, c'est à coup sûr que vous ne déléguez pas aussi efficacement que vous devriez le faire. En fait, savoir déléguer est au cœur des talents de manager et la marque d'un bon responsable d'équipe. Après avoir appris à bien déléguer, vous risquerez beaucoup moins de voir se constituer une surcharge de travail (ou en tout cas elle se produira beaucoup moins souvent). Le rythme du monde professionnel actuel est si rapide qu'à moins de déléguer tout ce que vous pouvez, vous risquez de crouler rapidement sous votre charge de travail.

Comment déléguer

Déléguer ne consiste pas à se débarrasser de travaux simples pour lesquels vous n'avez pas de temps vous-même (ou que vous n'aimez pas faire). Il s'agit alors de distribuer des travaux, sans valeur à long terme. Déléguer, en revanche, non seulement vous procure davantage de temps que vous pouvez consacrer au travail important qu'est le management de votre équipe, mais cela sert aussi à développer les talents de cette équipe, à la rendre plus efficace dans son ensemble – ce qui sera porté au crédit de ses membres comme au vôtre.

Pensez malin

Repassez le flambeau

N'allez pas croire, simplement parce que votre patron vous a délégué un travail, que vous ne pouvez pas le déléguer vous-même. Après tout, vous devrez quand même en rendre compte et en prendre la responsabilité globale. Du moment que votre patron obtient le même résultat, qu'importe qui a fait le travail.

Ainsi, tout cela revient à déléguer la responsabilité des travaux. Donnez au membre de votre équipe un objectif, avec un délai, des contraintes de coût et de qualité, et laissez-le décider comment il va s'y prendre. Il apprendra davantage de cette façon, il aura la satisfaction morale d'avoir atteint un résultat positif, et il vous aura déchargé d'une partie de votre travail. Vous conservez la responsabilité globale, bien sûr. Si quelque chose se passe mal, vous aurez les ennuis – mais la moitié du talent de responsable consiste à bien déléguer pour que rien ne se passe mal, comme nous allons le voir.

Beaucoup de gens redoutent de perdre le contrôle en déléguant un travail. Mais pensez à ce dont vous perdez le contrôle : les détails et les broutilles qui occupent trop de votre temps ; les coups de téléphone, les recherches, les e-mails et la

Déléguer dégage du temps qui vous permet de vous consacrer au travail important du management de votre équipe

Quand vous n'êtes pas là...

Posez-vous la question : « Si j'étais malade ou en voyage d'affaire pour un mois, quels travaux ne pourraient simplement pas être effectués ? » Il ne devrait pratiquement y en avoir aucun. Tout ce qui n'est pas sur cette liste peut être délégué.

paperasse. Vous conservez le contrôle global du travail délégué. Et vous avez dégagé du temps pour prendre du recul et avoir une vue d'ensemble. Vous pouvez identifier les opportunités à saisir, repérer les menaces à temps pour vous en protéger, et améliorer les résultats de votre équipe.

Savoir déléguer

En vous lançant dans une course contre la montre pour rattraper le retard accumulé, vous risquez de déléguer les travaux ennuyeux mais qu'il faut faire quand même, tout simplement parce qu'il faut aller vite.

Mais tous les travaux que vous devez traiter ne sont pas urgents, et vous devriez pouvoir en déléguer la plupart. Voici comment déléguer avec succès :

1 Examiner le travail et fixer l'objectif. Nous voici à nouveau en train de fixer des objectifs. Avez-vous remarqué que la fixation de l'objectif est la première étape de la plupart des principes du management ? C'est parce que si vous ne savez pas où vous allez, vos chances d'y parvenir sont sérieusement compromises. Un objectif est une destination : lorsque vous la connaissez, vous pouvez prévoir votre route, estimer le temps nécessaire, voir s'il y a d'autres possibilités d'atteindre votre but ou d'éventuels raccourcis, et vous pouvez savoir que vous êtes parvenu au terme du voyage.

Commencez donc par identifier le travail et par lui fixer un objectif. Regroupez des travaux ayant un objectif commun. Ainsi, si des recherches doivent être faites pour votre proposition, demandez à une même personne de les faire toutes – les coûts, les données sur les performances, les options d'emballage, les comparaisons avec la concurrence et tout ce qui s'ensuit. L'objectif est de trouver toutes les données à l'appui de votre proposition pour la rendre plus convaincante.

2 Décidez à qui vous allez déléguer le travail. Un travail quel qu'il soit ne convient pas à n'importe qui. Sauf si le temps presse, essayez de choisir des travaux un peu difficiles pour ceux qui en seront chargés. Ils en retireront plus de satisfaction. Même un travail d'importance cruciale peut être affecté à une personne sans expérience de ce travail particulier. Ainsi, vous améliorerez constamment l'expérience et les capacités de toute votre équipe.

Un objectif est une destination : quand vous la connaissez, vous pouvez établir l'itinéraire

Pensez malin

Quand le temps presse, cherchez l'expérience

Si vous êtes pressé, il est préférable de déléguer à quelqu'un qui sait déjà comment faire le travail avec relativement peu d'assistance de votre part. Mais si vous avez du temps, essayez de trouver quelqu'un dont ce travail sollicitera et étendra les capacités. Votre équipe deviendra plus audacieuse et comptera plus de personnes expérimentées à qui déléguer à l'avenir.

Cependant, cela ne sert à rien de confier à quelqu'un un travail qui ne lui convient pas et qui représente un gaspillage de ses talents. Pour faire vos recherches, trouvez une personne méthodique ayant de bons contacts avec les autres s'il faut obtenir des informations sur la concurrence en parlant à des fournisseurs ou persuader des gens débordés de passer du temps à trouver des renseignements. Ne déléguez pas ces travaux à quelqu'un qui a de brillantes idées mais qui voudra passer au sujet suivant sans être allé au fond des choses.

3 Fixez les paramètres. Vous désignez un objectif à celui à qui vous déléguez le travail. Il doit connaître le résultat à atteindre et pourquoi. Mais il lui faut en plus d'autres éléments. Il a besoin de savoir combien de temps vous lui laissez, de quelles autorisations il peut user (pour obtenir des inputs d'autres personnes, par exemple), et ainsi de suite. Vous devez donc indiquer :

- **l'objectif ;**
- **le délai ;**

- **les standards de qualité ;**
- **le budget ;**
- **les limites d'autorisation ;**
- **des précisions sur toutes les ressources disponibles.**

Cependant, vous ne lui dites pas comment faire le travail. Vous lui dites tout ce dont il a besoin pour vous fournir les résultats voulus – y compris quand vous les voulez, à quel coût et ainsi de suite. Mais c'est à lui de décider la manière de s'y prendre pour y arriver. Reprenant l'analogie établie entre un objectif et une destination, disons qu'il est libre de choisir son itinéraire pourvu qu'il arrive à l'heure, sans avoir brûlé trop de carburant ni provoqué d'accident. Vous pouvez certes lui demander les grandes lignes de son itinéraire, mais ne lui demandez pas de le modifier pour vous faire plaisir. Si vous apercevez un problème qu'il n'a pas vu, faites-le lui remarquer mais laissez-le trouver la solution.

4 Vérifiez qu'il a compris. Encouragez-le à vous parler du travail, pour vous assurer qu'il comprend parfaitement ce qui est requis et pourquoi. Vous pouvez suggérer des idées, dans la mesure où vous ne le mettez pas sur des rails pour qu'il adopte votre approche.

Si vous voyez un problème, faites-le lui remarquer mais laissez-le trouver la solution

Deux précautions valent mieux qu'une

Si le travail en question est un projet majeur, ou même s'il est de petite ampleur mais si le temps presse, vous pouvez toujours le déléguer à plus d'une personne. En général, la meilleure approche consiste à désigner un responsable pour le travail, et à informer tout le monde en même temps pour que tous sachent bien ce qu'il faut faire.

5 Donnez-lui un recours. Fournissez toute l'aide que vous pouvez. Préparez le terrain auprès du responsable d'un autre service pour que l'employé désigné puisse faire appel à son équipe ; dites-lui où trouver des informations dont vous connaissez l'existence mais qu'il ne connaît pas ; donnez-lui accès à tous les documents utiles ; donnez-lui un brouillon de la proposition dans laquelle iront les résultats des recherches (je suppose que vous préparez un brouillon longtemps à l'avance ?).

6 Surveillez l'avancement. Prévoyez des réunions de suivi dans le cas d'un projet important et à long terme. Même dans le cas d'un travail court, vérifiez la progression – un feed-back fréquent et informel convient souvent mieux qu'une réunion officielle. Les intéressés peuvent ainsi vérifier avec vous qu'ils sont sur la bonne voie, qu'ils ne gaspillent pas leur temps sur des détails superflus ni ne négligent aucun angle d'attaque déterminant. Ils feront leur travail avec plus d'assurance et vous saurez que l'affaire est sur les rails.

Surveiller ne veut cependant pas dire interférer. Ayez l'œil sur tout indice qu'ils se sont trompés,

Pensez malin

Ayez l'œil

Le fait que vous soyez pressé par le temps ne vous dispense pas de vérifier la progression d'un travail. Après tout, vous avez quand même besoin d'être sûr que le travail est fait correctement. Si vous avez délégué un travail urgent à terminer d'ici la fin de la journée, vous pouvez toujours donner un coup de fil ou passer la tête dans la porte au milieu de l'après-midi pour vous assurer que tout va bien.

mais ne faites pas une histoire pour des erreurs mineures. De telles erreurs sont presque inévitables, et vous auriez probablement fait des erreurs équivalentes en faisant le travail vous-même. Vous ne devez intervenir qu'en cas de risque d'erreurs graves, et n'y passer que le temps nécessaire pour remettre le travail sur la bonne voie. Retirer un travail à quelqu'un ne peut que le démoraliser profondément et ne devrait être envisagé que dans des circonstances extrêmes. Si vous déléguez correctement dès le départ, cela ne devrait jamais être nécessaire.

7 Évaluez les performances. Une fois le travail terminé, asseyez-vous avec le membre de votre équipe impliqué et évaluez ce qu'il a fait. Faites des éloges et manifestez votre appréciation sur tout ce qui le mérite, et même si les résultats sont décevants, trouvez des aspects du travail dont vous pouvez faire l'éloge. Assurez-vous que l'inté-

N'intervenez qu'en cas de risque d'erreurs importantes

ressé – comme vous – profite de toutes les leçons de l'exercice en question. Et rappelez-vous que l'ultime responsabilité en cas d'échec comme en cas de succès vous revient à vous seul.
Voici donc quelques principes pour déléguer. Appliquez-les maintenant, dans toute la mesure permise par les contraintes de temps que vous subissez actuellement. Avant de passer au traitement du reste de votre charge de travail, déléguez tout ce qui est vraiment urgent et doit être fait dans les 24 heures suivantes.

Mettez maintenant de côté tout le reste du travail à déléguer (toujours groupé par ordre de priorité), pour pouvoir le déléguer plus tard et vous laisser le temps réfléchir à l'application des principes que nous venons de voir. Voilà. Le sort d'une bonne partie de votre travail en retard devrait maintenant être réglé.

Une fois de plus, ne voyez pas dans le fait de déléguer un moyen de vous débarrasser des travaux que vous n'aimez pas ou que vous n'avez pas le temps de faire. Voyez-y plutôt une occasion formidable d'exercer vos talents de manager et de développer les talents de votre équipe.

Pensez malin

Prenez de l'avance

Si vous déléguez un travail longtemps avant sa date limite, vous pouvez fixer un délai qui vous donne une grande latitude pour l'intégrer dans un projet ultérieur que vous réalisez vous-même. Ainsi, par exemple, vous pouvez demander que les recherches relatives à votre proposition soient terminées et vous soient fournies dix jours avant que vous n'ayez fini de la rédiger – ce qui vous laisse tout le temps de les incorporer dans votre propre travail.

La prochaine fois

Identifiez les travaux à déléguer dès qu'ils arrivent sur votre bureau, ou dès que vous avez généré le travail à faire. Vous disposez ainsi d'un maximum de temps pour vous organiser, et il en va de même pour celui ou celle à qui vous allez déléguer le travail.

Le but est de développer en permanence les aptitudes de l'ensemble de votre équipe, et donc vous devez bien réfléchir pour choisir au mieux la personne à qui déléguer chaque travail. Si le temps presse, vous pouvez simplement confier le travail à quelqu'un dont vous savez qu'il le mènera à bien tout seul. Mais à terme, une telle approche ne donne pas de défi à relever ni d'occasions de progresser. Meilleur vous serez dans l'art de déléguer, plus votre équipe deviendra apte à effectuer les travaux que vous déléguerez, et plus il vous sera facile de déléguer de futurs travaux. Les membres de votre équipe se sentiront motivés, confiants et appréciés, et la qualité de leur travail en bénéficiera.

Déléguer est une formidable occasion d'exercer vos talents de manager

7 Différez des travaux

Différer semble à première vue être une mauvaise idée. Après tout, n'est-ce pas un autre terme pour dire remettre à plus tard ? Et n'est-ce pas précisément la raison pour laquelle vous vous êtes embourbé ? Trop de travail et pas assez de temps, et vous avez repoussé des travaux jusqu'au moment où vous ne pouviez plus voir votre bureau sous le tas de papiers et de notes.

Eh bien oui et non. Différer consiste à remettre les choses à plus tard de manière organisée, ce qui fait une grande différence. Cela veut dire repousser un travail jusqu'au moment où il est temps de le faire – et dégager ce temps si nécessaire –, et non le repousser puis *ne pas* le faire.

Rappelons où nous en sommes, pour que vous mesuriez bien tout ce que vous avez déjà accompli :

- **Vous avez trouvé le temps de lire ce livre, et au moins quelques heures pour faire ce qu'il y avait à faire – éliminer votre surcharge de travail.**
- **Vous avez identifié votre objectif central.**

- **Vous avez mis tous vos travaux par écrit, et vous les avez organisés sous forme de groupes.**
- **Vous avez classé les groupes par ordre de priorité en tenant compte à la fois de leur urgence, et de leur importance eu égard à votre objectif.**
- **Vous avez trié le contenu de chaque groupe en quatre catégories : travaux à jeter, à déléguer, à différer ou à faire.**
- **Vous avez programmé l'utilisation du temps qui vous reste (regardez tout de suite où vous en êtes).**
- **Vous jetez tout ce que vous pouvez en passant en revue le contenu de chaque groupe.**
- **Vous déléguez en outre tout ce que vous n'avez pas besoin de faire vous-même – ou vous le mettez de côté pour le déléguer plus tard si ce n'est pas urgent.**

Vous devez avoir maintenant sous les yeux une pile de travail beaucoup plus réduite ; et au lieu d'être en pagaille, elle doit être bien ordonnée. J'espère que vous commencez à vous sentir bien. Tous les travaux qui restent tandis que vous examinez chaque groupe sont ceux que vous allez faire vous-même – plus rien à jeter ou à refiler. Il reste cependant deux catégories : les travaux à différer et ceux à faire aujourd'hui. Nous commencerons par voir comment différer des travaux efficacement, et dans le prochain chapitre nous nous attaqueront aux travaux à faire tout de suite.

Différer des travaux ne consiste pas à les placer dans une pile de travaux en attente, mais à définir le moment de les faire

Différer des travaux ne consiste pas à les mettre dans une pile de travaux en attente : le but est de leur allouer un temps pendant lequel ils seront faits. Puisque la vie défile à la vitesse d'un train rapide, tout travail non programmé finira presque systématiquement par encombrer votre bureau ou votre cerveau jusqu'au moment où une date butoir imminente vous poussera à agir in extremis. La solution consiste donc à tout programmer. Oui, absolument tout.

À terme, la clé pour rester maître de votre charge de travail est de tout mettre dans votre agenda, et donc nous allons voir la question un peu plus tard. Mais pour l'instant, vous ne vous intéressez probablement pas au long terme. Vous voulez seulement en finir avec cette pile de travail.

Regardez alors les groupes qui vous restent. Regardez votre agenda pour les deux semaines à venir. Programmez maintenant ces travaux selon leur priorité, en bloquant le temps dans votre agenda. Ainsi, vous pourriez bloquer une demi-journée pour préparer votre proposition, et une journée entière la semaine suivante pour la rédiger. Vous pourriez programmer deux heures pour les appels téléphoniques en retard mais non urgents. Peut-être devez-vous bloquer du temps pour prévoir votre budget ou procéder à des évaluations de performances. Et, bien sûr, vous devez programmer du temps pour déléguer tous les travaux restants.

J'ai déjà suggéré d'allouer la dernière heure d'un vendredi pour vous occuper des travaux divers (si vous avez eu le temps de lire cette suggestion).

Pensez malin

Programmez le planning

Si vous manquez vraiment de temps maintenant, allouez dans les deux jours qui viennent un bloc de temps que vous passerez à programmer votre agenda. Vous pouvez ainsi différer non seulement les travaux mais aussi leur planification. Vous n'avez probablement pas besoin que je vous dise que si vous ne procédez pas à cette planification au moment prévu pour la faire, vous vous retrouverez encore plus vite dans vos embarras du départ.

Rappelez-vous que vous devez prévoir du temps pour des travaux tels que la correspondance générale aussi bien que pour des projets importants. Ce faisant, ayez toujours en tête votre objectif, et veillez à accorder à chaque groupe de travaux le temps qu'il mérite. Programmez absolument tout – même ce qui ne prend que cinq minutes – ce qui n'est pas programmé ne sera pas fait.

Pour différer efficacement des travaux, vous devez respecter deux conditions :

1. **Soyez réaliste.** Cela ne sert à rien de programmer du temps que vous ne pourrez pas libérer. Vous serez seulement démoralisé, le travail ne se fera pas, et au lieu d'être débordé de travail,

Différer des travaux ne consiste pas à les placer sur une pile de travaux en attente, mais à leur allouer le temps pendant lequel ils seront faits

vous serez débordé de travail et très malheureux. Prévoyez de travailler aussi vite et aussi astucieusement que possible, mais n'espérez pas faire des miracles, dégager 30 heures chaque jour ou pouvoir agiter une baguette magique pour que l'interminable réunion du lundi matin tenue par votre patron ne dure que dix minutes. Si vous savez qu'elle ne se termine pas avant 11 heures, ne programmez rien d'autre d'ici là (sauf ce que vous pourriez faire pendant la réunion sans que ça se voie).

2. **Soyez ferme.** Si vous ne vous tenez pas au programme que vous vous êtes fixé, toute l'opération devient une perte de temps. Si vous commencez à déraper, vous déraperez encore davantage. Soyez vraiment strict envers vous-même. Si votre vie professionnelle est régulièrement ponctuée d'appels urgents susceptibles d'interrompre vos travaux planifiés, prévoyez-le. Incluez du temps de rattrapage dans votre programme.

Pensez malin

Ne rentrez pas chez vous

Établissez une règle selon laquelle vous ne rentrez pas chez vous tant que les travaux prévus pour la journée ne sont pas terminés. De cette façon, si vous ne respectez pas votre planning, vous le paierez dans la soirée. Vous apprendrez vite à faire des plannings réalistes. Le but n'est pas de rentrer tard chez soi, mais au contraire d'éviter d'y être obligé.

Pensez malin

Annulez ce que vous pouvez

Les réunions périodiques prennent énormément de temps. Qui plus est, elles peuvent finir par devenir un phénomène quasi-quotidien, au point de ne plus pouvoir libérer un jour entier sans le prévoir plusieurs semaines à l'avance. Voyez si vous pouvez réduire le nombre de réunions périodiques. Par exemple :

- Vos réunions hebdomadaires pourraient-elles être tenues chaque quinzaine ou même devenir des réunions mensuelles ?
- Certaines réunions ne pourraient-elles pas être remplacées par des discussions téléphoniques en conférence et prendre moins de temps ?
- Pourrait-on réduire le nombre de participants ? (Ce qui accélère toujours les choses.)
- Pouvez-vous être dispensé de participer à des réunions périodiques d'autres services ?

Pensez malin

L'oiseau du matin

Une bonne pratique consiste à se donner une demi-heure au début de chaque jour pour planifier la charge de travail du jour et traiter les travaux courts mais urgents – signer quelques lettres, retourner des appels téléphoniques de la veille, vérifier qu'un membre de votre équipe se sort bien d'un travail que vous lui avez délégué, répondre à des courriers urgents, etc. Si par conséquent vous commencez à travailler à 9 heures, ne prévoyez aucun engagement avant 9 heures 30. C'est plus efficace que de se laisser du temps en fin de journée, car il a souvent tendance à être absorbé par les activités de l'après-midi.

Si vous ne vous tenez pas au planning que vous vous êtes fixé, toute l'opération devient une perte de temps

Et comment savez-vous exactement ce que vous avez à faire ? La plus grande partie devrait déjà figurer dans votre agenda. Se servir de votre agenda pour programmer votre temps, c'est en faire un guide interactif indispensable au lieu d'un document de référence à consulter de temps à autre. Votre agenda doit être un outil essentiel de votre vie professionnelle, et vous devriez constamment y entrer des informations. Ayez un grand agenda de bureau si vous n'écrivez pas suffisamment petit pour un agenda de poche. Chaque fois que quelqu'un vous dit « appelez-moi mardi prochain », cela doit aller dans la case de mardi prochain. Pas sur une note autocollante qui pourrait se perdre. Et ajoutez le numéro de téléphone si vous l'avez sous la main, pour vous éviter d'avoir à le retrouver la semaine prochaine. Ainsi votre liste de choses à faire devrait-elle être à moitié remplie d'avance.

Notez aussi dans votre agenda les rappels téléphoniques attendus, les e-mails et les réponses des autres gens. Sinon, lorsque la balle est dans leur camp et qu'ils vous laissent tomber, l'opération n'est plus pilotée par personne. Si donc quelqu'un vous dit « je vous rappelle d'ici la fin de la semaine », notez-le dans l'agenda à vendredi pour vous assurer qu'il l'a fait.

Vous pouvez assigner des priorités aux travaux de votre liste des choses à faire, pour faire les plus urgentes en premier. En cas d'incident imprévu, il vous suffit de différer les travaux moins urgents. S'ils sont tous d'égale urgence, faites d'abord les plus importants (en pensant à votre objectif). Vous pouvez indiquer les priorités de toute manière qui vous convient. Par exemple :

- **repérer les travaux de plus haute priorité par A, les suivants par B, et les travaux de plus basse priorité par C (trois catégories suffisent amplement) ;**
- **indiquer les priorités par une couleur appliquée au moyen d'un marqueur (ici encore, trois couleurs suffisent) ;**
- **lister les travaux par ordre de priorité et les faire dans l'ordre où ils se présentent.**

Ainsi, différer des travaux n'est pas la même chose que les repousser. Cela consiste à dégager du temps pour que tous vos travaux soient faits convenablement et au bon moment. Et vous n'aurez plus jamais affaire à une surcharge de travail comme celle dont vous êtes parti.

Pensez malin

Trajet de travail

Pourquoi ne pas programmer votre journée de travail pendant votre trajet ? Si vous voyagez par le train ou si l'on vous conduit, vous pouvez rédiger votre liste des choses à faire et vos appels téléphoniques pendant le trajet. Si vous conduisez, vous pouvez mettre les choses au clair dans votre tête – ou les dicter sur magnétophone – et les noter simplement à votre arrivée.

Programmer votre temps vous assure que vous passerez du temps sur les choses qui comptent vraiment

La prochaine fois

Le planning de l'agenda est un art crucial pour garder la maîtrise de votre travail et – ce qui importe tout autant – être sûr que vous investissez la majeure partie de votre temps dans les travaux réellement importants : ceux qui vous permettent d'atteindre votre objectif central.

Dès que vous en avez l'occasion (et vous pouvez programmer cela dans votre agenda dès maintenant), vous devriez prendre le temps de programmer votre agenda pour le reste de l'année. Non, vous avez bien lu – je veux dire l'année. Vous devriez vous asseoir et porter les dates clés dans votre agenda. À l'évidence vous ne pouvez pas tout programmer aussi longtemps à l'avance, et vous devrez prévoir une session de planning au début de chaque mois. Puis viennent le planning d'agenda hebdomadaire, et bien sûr votre planning quotidien.

Vous pouvez penser que vous avez acheté ce livre pour y puiser quelques conseils rapides en vue d'écluser un retard de travail phénoménal. Et tout d'un coup, vous êtes confronté aux injonctions d'un maniaque de l'agenda, animé d'une volonté fasciste de tout vous faire planifier jusqu'à la dernière seconde de votre temps, jusqu'à ce qu'il ne reste plus de temps pour le travail proprement dit. Mais il s'agit en fait d'une approche parfaitement normale et saine de l'organisation de votre temps (c'était évident que j'allais dire cela). Non, sérieusement. Comprenez bien qu'une fois l'habitude prise, cette planification prendra très peu de temps. Mais elle vous permettra d'être le maître de votre temps et de vos actes. En particulier, elle vous assure de passer du temps sur les choses qui ont vraiment de l'importance ; les travaux qui vous aident à atteindre votre objectif.

À la fin du processus de planning, chaque travail quel qu'il soit doit avoir un moment prévu pour son exécution. Ce peut être simplement une fraction de « divers » ou « courrier », mais il y aura un intervalle de temps mis de côté pour vous en occuper. Sinon, vous ne le ferez pas. Revoyons donc l'ensemble du processus.

Planning annuel

Dès le début de l'année, passez environ une demi-heure à inscrire tous les engagements connus pour le reste de l'année :

- réunions périodiques ;
- événements particuliers (expositions ou conférences, par exemple) ;
- événements périodiques (tel qu'un déjeuner hebdomadaire avec votre équipe, ou une heure le vendredi après-midi pour vous occuper des travaux divers) ;
- vacances ;
- temps personnel (les jours que vous voulez réserver le plus tôt possible pour les anniversaires de vos enfants ou le mariage de votre meilleur ami).

Vous devez aussi réserver environ quinze minutes de planification de votre temps au début de chaque mois. Réservez aussi des jours entiers tout au long de l'année pour vous consacrer à des travaux proactifs qui produiront réellement des résultats. Ils vous serviront à mûrir de nouvelles idées ou à prévoir de nouveaux projets susceptibles de dynamiser votre société. Ce pourrait être une session de planning stratégique avec votre équipe, la préparation du budget annuel, ou l'élaboration d'une proposition en vue d'un nouveau système pour améliorer la productivité de votre service. Vous êtes là pour ça, et ce temps est indispensable à votre organisation comme à la réussite de votre carrière. Commencez par mettre de côté au moins une journée entière par mois, mais vous pouvez prévoir davantage de temps si vous pensez que c'est possible.

De toute évidence, tout au long de l'année vous ajouterez d'autres réunions très importantes, des rendez-vous avec des clients, des présentations et ainsi de suite, lorsque leurs dates seront fixées.

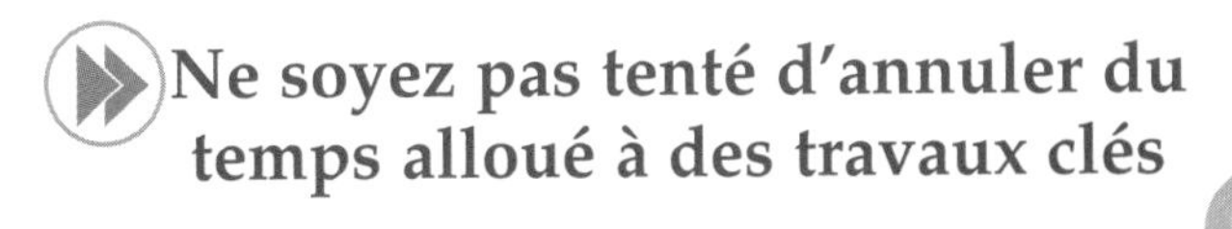

Planning mensuel

C'est à cette occasion que vous allez prévoir tous vos travaux clés pour le mois et que vous ne connaissiez pas lorsque vous avez établi le planning annuel. Il s'agit en fait de ce genre de travaux pour lesquels vous essayez actuellement de prévoir du temps. Si vous en faites le planning dès le début du mois, il vous sera beaucoup plus facile de les caser tous en gardant du temps pour les travaux de routine et pour ces choses qui surgiront plus tard. Ce peut être :

- l'interview de candidats à un poste ou d'employés pour l'évaluation annuelle de leur performance ;
- des visites à des clients ou des fournisseurs ;
- des présentations, y compris le temps consacré à leur préparation ;
- le temps nécessaire à la préparation de rapports ou de propositions ;
- le temps consacré à la délégation de travaux importants.

Vos sessions de planning mensuel ont aussi une autre fonction. Elles vous donnent l'occasion d'évaluer votre charge de travail sur l'ensemble du mois. Non seulement vous obtenez ainsi une vision globale de vos priorités à court terme, mais aussi vous voyez combien de « temps libre » il vous reste. Vous savez comment le temps est pris par les travaux de routine, les problèmes urgents, les gens qui font appel à vous, les réunions impromptues et tout le reste. Assurez-vous que vous disposez encore de beaucoup de temps. Sinon :

- Voyez si vous pouvez annuler certaines réunions ou vous faire dispenser d'y participer.
- Déléguez des travaux que vous aviez prévu de faire vous-même.
- Réorganisez votre agenda pour qu'il soit plus équilibré – reprogrammez ces deux réunions du bureau de Lille pour qu'elles aient lieu le même jour, ou placez deux demi-journées de ses-

sions de planning le même jour dans votre agenda, pour libérer ailleurs une journée entière.

Mais quoi que vous fassiez, ne soyez pas tenté d'annuler ou de réduire le temps alloué à des travaux clés, à moins qu'il ne soit possible de les déléguer convenablement. Ces travaux clés sont votre raison d'être. Le problème est que ces travaux sont aussi, d'un point de vue pratique, ceux qu'il est le plus facile de repousser ou d'annuler. Ne perdez jamais de vue votre objectif. Les managers qui réussissent sont ceux qui comprennent que ces travaux sont leurs toutes premières priorités.

Planning hebdomadaire

C'est ici que vous prévoyez tous ces autres travaux qu'il faut bien faire à un moment ou à un autre. Cela ne devrait prendre que cinq minutes chaque lundi matin. Vous devez réserver du temps pendant la semaine pour :

- déléguer des travaux et en suivre l'exécution ;
- traiter le courrier et les e-mails ;
- vous mettre à jour des appels téléphoniques ;
- vous occuper des travaux divers ;
- être joignable par téléphone (un assistant peut reporter des appels en disant que vous serez certainement en mesure de répondre mercredi dans l'après-midi, par exemple) ;

Planifier votre temps grâce à votre agenda, c'est en faire un guide interactif indispensable au lieu d'un document de référence à consulter de temps à autre

- être disponible pour voir les gens face-à-face (une politique de la porte ouverte en permanence est une invitation à vous interrompre ; il vaut mieux prévoir du temps pendant lequel vos subordonnés et vos collègues savent que vous serez disponible, pour qu'ils ne vous dérangent qu'en cas de réelle urgence).

Vous pouvez envisager de prévoir certaines de ces rubriques plusieurs fois dans la semaine. Au lieu d'être disponible au téléphone ou pour des entrevues pendant une heure une fois par semaine, il peut être préférable de définir deux sessions d'une demi-heure afin que personne n'ait à attendre plus de deux jours pour requérir votre attention. Ou soyez disponible chaque jour pendant les quinze dernières minutes.

Planning journalier

Au début de chaque jour, décidez de quelle manière allouer le temps éventuellement encore disponible (oui, avec ce système, vous pouvez effectivement avoir du temps libre – à vrai dire, au niveau du planning). Vous devriez tendre à aller chaque jour vous promener dans les bureaux (OK, vous n'y arriverez pas toujours, mais si vous n'essayez pas vous n'y arriverez jamais) de vos subordonnés pour garder le contact avec eux et qu'ils voient que vous êtes en contact (ce qu'on appelle *management by walking about* – en se promenant un peu partout). Vous devrez aussi traiter des travaux urgents, depuis la rédaction d'un bref rapport jusqu'à des appels téléphoniques ou le règlement de problèmes. Vous devez donc décider quand vous allez faire tout cela.
Commencez la journée en établissant une liste des « choses à faire ». Elle comporte tout ce que vous allez caser entre les travaux planifiés, les réunions, etc. Vous pourrez constater qu'il est préférable de mettre à part les coups de téléphone ; il est plus efficace de les passer tous d'un seul coup, si vous le pouvez. Voici ce que pourrait contenir votre liste :

Téléphone
Jean Surris, BTX (01 55 30 99 37)
Michel a/s rapport
Lise Dacial
Robert Sudriot, Plumigène (02 49 56 44 99)

À faire
Point sur compte Benson
Vérifier Julie a/s recherches proposition
Proposition de prix de Onyx
Revoir programme salon
E-mail Paul a/s stand salon

Votre agenda doit être un outil clé pour faire votre travail

8 Faites-le

En avançant dans vos groupes par ordre de priorité – selon votre planning – vous jetez, vous déléguez ou vous différez tout ce que vous pouvez. Cependant, il vous restera toujours des travaux dans la plupart des groupes : ceux que vous devez faire maintenant (autrement dit, ceux dont l'échéance est trop proche pour pouvoir les différer). Il peut s'agir de coup de téléphone et d'e-mails, de documents à lire, de décisions à prendre, de papiers à approuver, de chèques à signer, et de problèmes opérationnels ou de personnel à résoudre. Un assortiment de travaux faciles ou difficiles, rapides ou qui prennent du temps.

Pour l'essentiel, vous devez simplement faire ces travaux le plus vite et le plus efficacement possible, les obstacles et les interruptions éventuels étant écartés. Cependant, deux suggestions peuvent vous permettre d'accélérer ce processus.

- **Certains types de travaux courts vont surgir dans la plupart des groupes. Par exemple, il y aura probablement plusieurs e-mails à envoyer, ou plusieurs coups de téléphone à donner. Comme il est habituellement plus efficace de faire ces travaux apparentés en même temps, mettez-les de côté et ruez-vous sur les e-mails en arrivant à la fin des groupes, ou signez toutes les factures en même temps. Naturellement, certains de ces travaux peuvent avoir besoin d'être effectués plus tôt – parce**

Pensez malin

Gardez le contact

Il est parfois possible de répondre plus tard à des gens en vous contentant d'accuser réception de leur appel, lettre ou e-mail. Adressez-leur une note ou un e-mail disant : « Merci pour votre lettre/e-mail/appel. J'y réfléchis et je reviens vers vous dans quelques jours. » Bien sûr, veillez à reprendre effectivement contact avec eux, mais vous avez ainsi gagné deux ou trois jours de répit.

que d'autres travaux peuvent dépendre du résultat d'un coup de téléphone particulier – mais utilisez votre bon sens et groupez ce que vous pouvez.

- **Si un travail quelconque dans un groupe dépend d'un autre, tenez-en compte tout de suite et veillez à ce que cet autre travail soit fait d'abord. S'il prend du temps – peut-être faut-il que quelqu'un vous rappelle avec un élément d'information – dépêchez-vous de mettre la balle en jeu.**

Faire des listes

Peut-être constaterez-vous en examinant votre charge de travail, que vous avez besoin de faire des listes de choses à faire. Si vous travaillez dans votre bureau, à l'évidence vous ne pouvez pas faire ici et maintenant tout travail qui nécessite que vous soyez dans l'usine – pour vous informer sur des problèmes d'équipement, ou parler face-à-face

Il est beaucoup plus efficace de faire en même temps les travaux de même nature

avec le responsable de la production – ou dans une autre agence, ou dans des magasins pour regarder les produits de votre concurrent.

De même, si vous travaillez chez vous, vous n'avez pas nécessairement accès à tout ce dont vous avez besoin, et une liste de choses à faire peut s'avérer utile dès votre retour au bureau. Ou vous pouvez être en train de travailler le soir, et vous ne pourrez pas contacter les autres personnes avant demain. Vous ferez aussi des listes des coups de téléphones, des e-mails etc. que vous traiterez en bloc à la fin de votre session de nettoyage de bureau.

Tout ce que vous différez de plus de quelques heures doit aller dans votre agenda, comme nous l'avons vu. Mais cela ne sert à rien de noter chaque coup de fil dans la page d'agenda de demain matin si vous pouvez simplement noter « coups de fils sur la liste » et préparer une liste distincte au fur et à mesure.

Tous les travaux destinés à cette liste doivent figurer déjà quelque part dans la pile de papiers appropriée, de sorte que votre liste pourrait consister en une pile de notes et de papiers. Mais beaucoup de gens constatent qu'ils ont les idées plus claires quand leur travail a un aspect plus ordonné. Si c'est votre cas, vous pouvez vous sentir mieux en composant une liste globale et en lui adjoignant s'il y a lieu les papiers auxquels vous pourriez avoir besoin de vous référer.

Pensez malin

Ne vous faites pas prendre

Parfois vous avez besoin d'appeler quelqu'un dont vous savez qu'il risque de vous coincer au téléphone. Si vous faites partie de ces gens qui manquent d'aplomb pour se dégager, appelez quand vous serez pratiquement sûr qu'ils sont sortis et laissez-leur plutôt un message vocal.

Certaines personnes redoutent la vision d'une longue liste – qui semble indiquer tellement de choses à faire. Si vous avez besoin d'un remontant psychologique, mettez les choses suivantes en haut de votre liste :

- **une chose que vous aimez faire ;**
- **une chose qui sera vraiment rapide ;**
- **un travail que vous avez déjà fait.**

Si vous cochez chaque travail au fur et à mesure de son exécution, ces trois premiers articles seront cochés presque instantanément. Vous aurez alors vraiment l'impression d'avancer.

Tout ce que vous différez de plus de quelques heures doit aller dans votre agenda

Prendre des décisions

La plupart des travaux que vous devez faire ne sont pas nécessairement difficiles ; c'est seulement une question de trouver le temps pour vous en occuper – ce que vous avez fait. Mais les travaux que la plupart des managers laissent s'entasser sur leur bureau quand ils manquent de temps sont tous ceux qui exigent une prise de décision. Voici un guide éclair pour prendre les décisions rapidement.

Votre but actuel est de rattraper votre retard de travail. Ce n'est pas le moment de prendre des décisions majeures telles que celle de désigner qui vous allez licencier, ou si vous allez sous-traiter toute la fonction comptable. Si une décision de cette ampleur doit être prise (et il y a peu de chances que vous la preniez seul), programmez du temps pour la prendre plus tard. Il s'agit pour l'instant de décisions plus quotidiennes, telles que :

- **Quel niveau d'augmentation accorder à un membre du personnel ?**
- **Quel modèle de camion choisir pour renouveler la flotte de véhicules ?**
- **À quelle candidate offrons-nous le job d'assistante des ventes par téléphone ?**
- **Allons-nous mettre en œuvre le plan d'extension de la zone de parking ?**
- **Dois-je accepter la proposition d'un subordonné ?**

Ce sont des décisions de ce genre qui peuvent s'empiler sur votre bureau... jusqu'à maintenant.

Bien sûr, vous ne voulez pas seulement prendre ces décisions rapidement, vous voulez aussi les prendre bien. L'aptitude à prendre vite de bonnes décisions est l'une des pierres angulaires du succès pour un dirigeant. Quelles sont donc les techniques pour y parvenir ?

De nombreuses décisions sont si faciles à prendre que vous les prenez sans presque vous en rendre compte : à quelle heure tiendrez-vous cette réunion ? À qui allez-vous déléguer ce travail ? D'autres sont faciles parce que la réponse est claire : il se peut qu'il n'y ait qu'un seul bon candidat pour le poste, et donc il n'y a pas lieu de se torturer pour savoir à qui l'offrir. Mais ces décisions, bien sûr, ne sont pas celles que vous avez repoussées.

Voici des considérations clés pour vous aider à prendre toute décision délicate en attente dans votre pile de papiers :

- **Est-ce à vous de décider ? Parfois nous repoussons des décisions parce qu'au fond de nous-mêmes nous savons que quelqu'un d'autre devrait les prendre, ou que toutes les prémices sur lesquelles elles reposent sont erronées. Par exemple, comment pouvez-vous choisir la proposition à accepter pour le lancement d'un nouveau produit quand vous doutez sérieusement qu'il y ait lieu de lancer ce produit ? Nous pouvons ne pas vouloir prendre une décision parce que nous n'avons vrai-**

L'aptitude à prendre de bonnes décisions est l'une des pierres angulaires de la réussite

ment pas assez d'informations pour en juger. Dans de tels cas, remédiez au problème – passez la décision à quelqu'un d'autre, provoquez une discussion sur l'opportunité de lancer le nouveau produit, demandez davantage d'informations avant de prendre la décision.

- Quel est votre objectif ? Sommes-nous *de nouveau* à la définition de l'objectif ? Oui, j'en ai bien peur. Déterminez le but majeur de cette décision – ce que vous avez l'intention de réaliser en la prenant. Par exemple, votre objectif peut être de payer votre personnel à un salaire que vous puissiez vous permettre, qui reflète la valeur du travail et le motive à faire encore mieux. Ou ce peut être d'offrir largement assez de places de parking pour le personnel et les visiteurs dans le cadre d'un certain budget. Vous ne pouvez pas savoir ce qu'est la décision correcte si vous ne savez pas ce qu'elle vise à obtenir.
- Rassemblez toutes les données que vous pouvez. Comme je l'ai déjà mentionné, vous pouvez avoir besoin d'informations complémentaires. Quand le moment est venu de prendre la décision, assurez-vous qu'il ne vous manque aucune des données appropriées. Si vous ne savez pas ce qu'a été la performance de votre personnel au cours des derniers mois, comment pouvez-vous vous assurer que leur salaire reflète la valeur de leur travail ?
- Ne prenez pas de décision que vous ne pouvez pas appliquer. Éliminez toutes les options irréalisables. Cela

Pensez malin

Demandez un avis si c'est utile

Pourquoi ne pas consulter quelqu'un d'autre ? D'autres peuvent avoir été confrontés avant vous à un processus de décision similaire, ou peuvent avoir plus d'expérience que vous. Vous n'avez pas à suivre leur avis, mais vous pouvez en tenir compte dans votre analyse.

ne sert à rien de décider d'étendre le parking si on ne peut le faire qu'au prix de travaux de terrassement très coûteux, qui ne tiendront pas dans le budget.

- Suivez votre intuition. Bien des gens s'en moquent, d'autres s'en méfient. Souvent, il n'est pas raisonnable de prendre une décision seulement d'instinct, mais si vous avez toutes les données et si elles ne désignent pas une réponse claire, l'intuition indiquera souvent le chemin à prendre. Écoutez-la, comme vous écouteriez un conseiller expérimenté.

- Ne vous forcez pas à décider pour débarrasser le bureau des travaux en retard, chaque décision n'est pas à prendre tout de suite. Si vous ne prévoyez pas d'évolution ni d'élément nouveau, vous ne serez pas plus proche de la décision dans un mois qu'aujourd'hui. Mais si ce n'est pas urgent et si vous sentez que le temps peut aider en quelque façon – par exemple en vous laissant dormir sur le sujet pour clarifier vos idées – ne prenez pas la décision maintenant uniquement parce que le dossier est devant vous.

- Quand une décision est à prendre, prenez-la. Si une décision doit être prise maintenant (voire la semaine dernière), apprenez à sauter le pas. Vous n'aurez peut-être jamais le dernier élément d'information garantissant une décision parfaite, et la vitesse a aussi de l'importance. Une décision correcte prise trop lentement peut être pire qu'une décision moins parfaite prise vite. L'un des obstacles majeurs est la tentation de peser indéfiniment le pour et le contre. Un manager dynamique doit apprendre à dire « Assez ! ». Mieux vaut une

Un obstacle majeur à la prise de décision est la tentation de peser indéfiniment le pour et le contre

Tirer au sort

S'il est vraiment impossible de trancher entre deux travaux, pourquoi ne pas tirer au sort ? Si vous avez considéré tous les arguments et qu'il est trop difficile de déterminer lequel est le plus urgent, la décision que vous allez prendre n'aura pas beaucoup d'importance – il vous suffit d'en prendre une.

décision juste adéquate que pas de décision. Chaque option peut avoir ses inconvénients, mais il faut en choisir une.

- **Vous êtes engagé par une décision. L'ayant prise, vous devez vous y tenir. Et montrer que vous vous y tenez. Lorsque les membres du personnel protestent contre votre décision de ne pas leur accorder l'augmentation qu'ils demandaient, soyez inflexible. Si c'était une bonne décision, vous pouvez vous montrer compréhensif, mais ne vous laissez pas détourner du chemin choisi.**
- **Soyez prêt à vendre votre décision à d'autres. Les bonnes décisions ne sont pas toujours les plus populaires. Soyez donc prêt à persuader d'autres gens que même si ce n'est pas ce qu'ils veulent, c'est la bonne décision. Ils peuvent avoir envie d'un meilleur parking ou d'un autre modèle de véhicule pour le parc automobile, mais soyez prêt à expliquer pourquoi votre solution est la meilleure.**

Ces principes directeurs devraient vous permettre de prendre facilement ces décisions qui encombrent votre pile de travaux à faire. Et ce sera l'occasion d'exercer un aspect essentiel de vos talents de manager.

Lecture

L'un des ingrédients les plus démoralisants de la plupart des piles de travaux est tout ce qu'il faut lire. Toutes ces épaisseurs de rapports, de propositions, de résultats de recherche, de publications, de protocoles de réunions auxquelles vous n'avez pas assisté, et tout le reste. Comment diable allez-vous vous plonger dans tout cela dans les quelques petites heures dont vous disposez ?

Croyez-vous que les autres managers, y compris votre patron et les membres du conseil de direction, n'ont pas exactement le même problème ? Bien sûr qu'ils sont comme vous. Quelle est donc la solution ? Il y a deux options. L'une d'elle, pour le long terme – est d'apprendre la lecture rapide. Vous n'avez vraiment pas le temps de le faire aujourd'hui, mais je vous le recommande fortement si vous avez régulièrement beaucoup de choses à lire.

La seconde option consiste à ne lire que ce que vous êtes obligé de lire. Vous n'avez pas à lire chaque mot de chaque document de ce type, et ne vous y croyez pas obligé. Voici quelques conseils pour minimiser votre lecture :

- **Le fait que quelqu'un vous ait donné quelque chose à lire ne vous oblige pas automatiquement à le lire. Décidez si le document mérite votre attention. Évaluez-le à l'aune de votre objectif – sa lecture vous aidera-t-elle à l'atteindre ?**

Ne lisez que ce que vous devez lire

Un temps pour la lecture

Vous devez à l'évidence lire un minimum, même si vous n'êtes pas forcé de lire tout ce qu'il y a sur votre bureau. Prévoyez par conséquent chaque semaine du temps dans votre agenda pour rattraper votre retard de lecture.

- **Lisez d'abord la table des matières et l'introduction d'un livre : vous y trouverez peut-être tout ce dont vous avez besoin (ou vous constaterez que vous n'avez pas du tout besoin de lire le livre).**
- **Demandez à d'autres de lire des articles ou des documents à votre place, et de vous en donner un bref compte-rendu verbal ou écrit. Ils peuvent faire ressortir au marqueur ou découper de brefs passages dont ils pensent que vous devez les lire.**
- **De nombreux ouvrages, rapports, propositions, comportent de brefs résumés ou des sommaires par chapitre. Ils contiennent souvent tout ce que vous avez besoin de lire.**
- **S'il n'a pas de sommaire, un document bien écrit comporte souvent au moins un paragraphe final de résumé à la fin de chaque section. Ce qui devrait vous fournir assez d'informations pour voir quelles sections vous devez lire plus attentivement et lesquelles vous pouvez sauter impunément.**
- **Si vous souscrivez à des publications ou des journaux professionnels, contentez-vous de repérer les deux ou trois articles qui ont le plus d'intérêt pour vous, et jetez le reste.**

Vous avez du mérite à être parvenu jusqu'ici, et le seul défi qui reste est d'éviter de vous retrouver de nouveau dans la même situation. Suivez les principes directeurs « pour la prochaine fois » de ce livre et vous aller constater qu'en ce qui concerne la surcharge de travail, il n'y a pas de prochaine fois.

Pensez malin

La règle d'une page

Imposez comme règle à tous ceux qui travaillent pour vous que tout rapport, proposition ou autre document doit être accompagné d'un résumé occupant au plus le recto d'une feuille au format A4. De même, aucun mémo ou e-mail interne ne devrait excéder cette longueur.

Dès l'instant qu'un papier arrive sur votre bureau, vous devez en faire quelque chose

La prochaine fois

En théorie, vous ne devriez jamais laisser s'accumuler une pile de choses à faire (les théories du management sont formidables… si on a envie de rire). Mais sérieusement, celle-ci peut marcher avec un peu de pratique et beaucoup de discipline. L'idée est que nous pouvons déplacer régulièrement les mêmes morceaux de papier sur notre bureau pendant des jours ou même des semaines avant d'en faire finalement quelque chose (bon, parfois même des mois). La solution est d'avoir comme règle intangible que dès qu'un papier nous parvient, nous le traitons et l'évacuons de notre bureau. Et il n'y a que quatre options pour cela.

1. **Jeter.** Vous rappelez-vous tous ces papiers que vous avez triés et jetés ? Combien d'entre eux auraient pu aussi bien être jetés dans la minute de leur arrivée sur votre bureau il y a plusieurs semaines ? Apprendre à reconnaître le jetable au premier coup d'œil est l'approche du penseur malin.

2. **Classer.** Nous avons parlé dès le début de l'utilité des dossiers relatifs à des projets importants. Si des papiers à conserver ne vont pas dans votre dossier «archives», ils peuvent au moins aller dans votre dossier «présentation», «budget» ou «personnel».
3. **Transmettre.** S'il est possible de passer le document à un collègue ou de le déléguer à quelqu'un, faites-le maintenant, au lieu de le stocker sur votre bureau pendant une quinzaine, puis de faire ce que vous auriez pu faire tout de suite.
4. **Agir.** Ne constituez pas un dossier «en attente» – prenez sur le champ les mesures à prendre chaque fois que c'est possible. Si vous ne le faites pas, vous accumulez du retard (et nous connaissons bien le sujet), de sorte que vous êtes en permanence en train d'agir sur des papiers de travail de la semaine passée ou du mois dernier. Maintenant que vous êtes enfin à jour, restez-y.

Agissez immédiatement chaque fois que c'est possible

Éliminez une surcharge de travail en une demi-journée

Si vous n'avez qu'une demi-journée pour trier tout votre arriéré de travail, détendez-vous. Vous avez tout le temps. Même l'arriéré le plus monstrueux peut être éclusé en trois ou quatre heures. La première chose à faire est de lire ce livre en entier. Cela ne vous prendra qu'une heure environ, et tout ce que vous avez besoin de savoir s'y trouve.

Vous devrez passer par les différentes étapes du livre pour organiser le travail, établir des priorités et classer les groupes préalablement établis, mais vous devrez vous assurer que les travaux réellement urgents sont faits dès aujourd'hui – en les planifiant en premier avant de commencer à examiner les groupes. De sorte que si court que soit le temps disponible, vous aurez pris en compte l'essentiel.

Après quoi, il vous suffit de passer par les étapes successives, mais en gardant à l'esprit quelques points importants :

- **Fixer votre objectif, organiser les travaux en groupes et établir des priorités dans votre charge de travail, sont des étapes essentielles : ne soyez pas tenté de les sauter, à terme elles vous économiseront plus de temps qu'elles n'en prennent, et elles permettront un travail efficace.**
- **Vous pouvez avoir à déléguer beaucoup de travaux, donc ne vous demandez pas trop si quelqu'un d'autre peut les faire. Si vous avez avec vous une bonne équipe – grande ou petite – la plupart des travaux peuvent être délégués. S'il n'est pas dans vos habitudes de déléguer aisément, vous pouvez avoir à prendre rapidement une nouvelle habitude.**
- **Si un travail ne peut être délégué, cela ne vous empêche pas forcément d'en déléguer une partie. Peut-être avez-vous été très impliqué dans la préparation du salon de la semaine prochaine, mais quelqu'un d'autre peut s'occuper à votre place des contacts avec les concepteurs du stand et les imprimeurs.**
- **Vous devrez aussi différer une bonne partie des travaux. L'important est d'en prévoir l'exécution le plus tôt possible, avant que vous ne soyez de nouveau débordé, mais soyez réaliste quant à la quantité de travail que vous pouvez caser dans le planning. Il y *aura* des interruptions et des urgences, et si vous n'en tenez pas**

Si un travail ne peut être délégué, cela ne vous empêche pas forcément d'en déléguer une partie

compte, vous allez encore prendre du retard et vous serez démoralisé.

- **Si votre demi-journée est une soirée, vous avez l'avantage d'avoir moins de chances d'être dérangé. En revanche, il vous sera difficile de contacter d'autres personnes. Faites alors une liste des choses à faire dès que le reste du monde sera de nouveau dans le circuit. Commencez à travailler tôt le matin et débarrassez-vous de l'un des travaux de demain avant que tout le monde arrive au bureau. Utilisez plus tard dans la journée le temps ainsi récupéré pour passer tous vos coups de téléphone.**

Vous devriez constater qu'une demi-journée est amplement suffisante pour remédier à un arriéré de travaux. Tout ne sera pas fait à la fin de la session, mais vous aurez tout sous la main et vous aurez de nouveau le contrôle. Ne paniquez pas, détendez-vous simplement et mettez-vous y. Très vite, vous verrez que vos affaires paraissent beaucoup plus faciles à gérer.

Vous devriez constater qu'une demi-journée est amplement suffisante pour remédier à un arriéré de travaux

Éliminez une surcharge de travail en une heure

Vous avez réussi à dégager une heure – rien qu'une heure – pour vous attaquer à une accumulation de plusieurs semaines ou même de plusieurs mois. À l'évidence, vous avez l'un de ces jobs où l'on se fait dépasser par la vitesse de la vie. Pouvez-vous réellement arriver à en être débarrassé en une heure ? Évidemment non. Alors pourquoi avons-nous mis dans ce livre une page intitulée « Éliminez une surcharge de travail en une heure » ?

La réponse est que, bien que vous ne puissiez pas faire le travail en une heure, vous pouvez préparer le terrain pour le faire. Et c'est tout ce dont vous avez besoin. Comment vous y prendre ?

Ne pensez même pas aux tâches urgentes pour l'instant – elles devront être traitées dans le cadre du système

que vous utilisez habituellement. Mettez en œuvre votre approche habituelle *après* votre raid éclair d'une heure.

- **Lisez le chapitre 7 sur les travaux à différer – vous allez en avoir besoin.**
- **Lisez le chapitre 1 sur la façon de dégager du temps. Ne vous affolez pas : ce sont les seuls chapitres que vous devez lire pour l'instant.**
- **Sur la base de ce que ces deux chapitres vous disent, dégagez une heure dès que possible – l'heure de vous coucher conviendrait bien – pour lire ce livre d'un bout à l'autre.**
- **Planifiez maintenant au moins une demi-journée, plutôt une journée entière, pour mettre en œuvre le contenu de ce livre. Vous devez caser ce temps dans les sept jours à venir *quelles qu'en soient les conséquences*. Vous pourriez préférer commencer à travailler une heure plus tôt chaque jour de la semaine prochaine (je sais que vous devez déjà vous lever une demi-heure avant d'aller vous coucher), ou abandonner une de vos soirées pour éliminer votre arriéré.**

S'il vous reste du temps sur l'heure prévue à la fin de cette liste, n'hésitez pas à vous asseoir et à vous tourner les pouces. Ou commencez à lire le livre maintenant. Votre arriéré de travail ne sera pas réglé à la fin de la journée, mais si vous réagissez maintenant, il le sera d'ici la fin de la semaine prochaine. Alors détendez-vous !

Bien que vous ne puissiez pas faire le travail en une heure, vous pouvez préparer le terrain

Dans la même collection

Ros Jay
Gérer une crise
- Annoncer une mauvaise nouvelle
- Se sortir de situations difficiles
- Limiter les dégâts

Ros Jay
Réussir une embauche
- Passer rapidement les CV au crible
- Mener l'entretien avec habileté
- Engager la bonne personne

Ros Jay
Réussir une présentation
- Construire son argumentation
- Utiliser les bonnes techniques
- Être persuasif

Ros Jay
Travailler avec des personnes difficiles
- Éviter les confrontations
- Comprendre leur caractère
- Améliorer l'ambiance de travail

Richard Templar
Trouver ses infos
- Fonder ses arguments
- Trouver les bonnes sources
- Utiliser Internet

Imprimé en France par I.M.E. - 25110 Baume-les-Dames
Dépôt légal : Mars 2001 - N° imprimeur : 14560